Developing Chinese

第二版
2nd Edition

Elementary Listening Course
初级听力
（Ⅰ）

Exercises and Activities
练习与活动

么书君　编著
高　悦　翻译
严　提　插图

北京语言大学出版社
BEIJING LANGUAGE AND CULTURE
UNIVERSITY PRESS

Developing
Chinese

第二版
2nd Edition

编写委员会

主　编：李　泉

副主编：么书君　　张　健

编　委：李　泉　　么书君　　张　健　　王淑红　　傅　由　　蔡永强

编辑委员会

主　任：戚德祥

副主任：张　健　　王亚莉　　陈维昌

成　员：戚德祥　　张　健　　苗　强　　陈维昌　　王亚莉
　　　　王　轩　　于　晶　　李　炜　　黄　英　　李　超

《发展汉语》(第二版)为普通高等教育"十一五"国家级规划教材。为保证本版编修的质量和效率,特成立教材编写委员会和教材编辑委员会。编辑委员会广泛收集全国各地使用者对初版《发展汉语》的使用意见和建议,编写委员会据此并结合近年来海内外第二语言教学新的理论和理念,以及对外汉语教学和教材理论与实践的新发展,制定了全套教材和各系列及各册教材的编写方案。编写委员会组织全体编者,对所有教材进行了全面更新。

适用对象

《发展汉语》(第二版)主要供来华学习汉语的长期进修生使用,可满足初(含零起点)、中、高各层次主干课程的教学需要。其中,初、中、高各层次的教材也可供汉语言专业本科教学选用,亦可供海内外相关的培训课程及汉语自学者选用。

结构规模

《发展汉语》(第二版)采取综合语言能力培养与专项语言技能训练相结合的外语教学及教材编写模式。全套教材分为三个层级、五个系列,即纵向分为初、中、高三个层级,横向分为综合、口语、听力、阅读、写作五个系列。其中,综合系列为主干教材,口语、听力、阅读、写作系列为配套教材。

全套教材共28册,包括:初级综合(Ⅰ、Ⅱ)、中级综合(Ⅰ、Ⅱ)、高级综合(Ⅰ、Ⅱ),初级口语(Ⅰ、Ⅱ)、中级口语(Ⅰ、Ⅱ)、高级口语(Ⅰ、Ⅱ),初级听力(Ⅰ、Ⅱ)、中级听力(Ⅰ、Ⅱ)、高级听力(Ⅰ、Ⅱ),初级读写(Ⅰ、Ⅱ),中级阅读(Ⅰ、Ⅱ)、高级阅读(Ⅰ、Ⅱ),中级写作(Ⅰ、Ⅱ)、高级写作(Ⅰ、Ⅱ)。其中,每一册听力教材均分为"文本与答案"和"练习与活动"两本;初级读写(Ⅰ、Ⅱ)为本版补编,承担初级阅读和初级写话双重功能。

编写理念

"发展"是本套教材的核心理念。发展蕴含由少到多、由简单到复杂、由生疏到熟练、由模仿、创造到自如运用。"发展汉语"寓意发展学习者的汉语知识,发展学习者对汉语的领悟能力,发展学习者的汉语交际能力,发展学习者的汉语学习能力,不断拓展和深化学习者对当代中国社会及历史文化的了解范围和理解能力,不断增强学习者的跨文化交际能力。

"集成、多元、创新"是本套教材的基本理念。集成即对语言要素、语言知识、文化知识以及汉语听、说、读、写能力的系统整合与综合;多元即对教学法、教学理论、教学大纲以及教学材料、训练方式和手段的兼容并包;创新即在遵循汉语作为外语或第二语言教学规律、继承既往成熟的教学经验、汲取新的教学和教材编写研究成果的基础上,对各系列教材进行整体和局部的特色设计。

教材目标

总体目标：全面发展和提高学习者的汉语语言能力、汉语交际能力、汉语综合运用能力和汉语学习兴趣、汉语学习能力。

具体目标：通过规范的汉语、汉字知识及其相关文化知识的教学，以及科学而系统的听、说、读、写等语言技能训练，全面培养和提高学习者对汉语要素（语音、汉字、词汇、语法）形式与意义的辨别和组配能力，在具体文本、语境和社会文化规约中准确接收和输出汉语信息的能力，运用汉语进行适合话语情境和语篇特征的口头和书面表达能力；借助教材内容及其教学实施，不断强化学习者汉语学习动机和自主学习的能力。

编写原则

为实现本套教材的编写理念、总体目标及具体目标，特确定如下编写原则：

（1）课文编选上，遵循第二语言教材编写的针对性、科学性、实用性、趣味性等核心原则，以便更好地提升教材的质量和水平，确保教材的示范性、可学性。

（2）内容编排上，遵循第二语言教材编写由易到难、急用先学、循序渐进、重复再现等通用原则，并特别采取"小步快走"的编写原则，避免长对话、长篇幅的课文，所有课文均有相应的字数限制，以确保教材好教易学，增强学习者的成就感。

（3）结构模式上，教材内容的编写、范文的选择和练习的设计等，总体上注重"语言结构、语言功能、交际情境、文化因素、活动任务"的融合、组配与照应；同时注重话题和场景、范文和语体的丰富性和多样化，以便全面培养学习者语言理解能力和语言交际能力。

（4）语言知识上，遵循汉语规律、汉语教学规律和汉语学习规律，广泛吸收汉语本体研究、汉语教学研究和汉语习得研究的科学成果，以确保知识呈现恰当，诠释准确。

（5）技能训练上，遵循口语、听力、阅读、写作等单项技能和综合技能训练教材的编写规律，充分凸显各自的目标和特点，同时注重听说、读说、读写等语言技能的联合训练，以便更好地发挥"综合语言能力 + 专项语言技能"训练模式的优势。

（6）配套关联上，发挥系列配套教材的优势，注重同一层级不同系列平行或相邻课文之间，在话题内容、谈论角度、语体语域、词汇语法、训练内容与方式等方面的协调、照应、转换、复现、拓展与深化等，以便更好地发挥教材的集成特点，形成"共振"合力，便于学习者综合语言能力的养成。

（7）教学标准上，以现行各类大纲、标准和课程规范等为参照依据，制订各系列教材语言要素、话题内容、功能意念、情景场所、交际任务、文化项目等大纲，以增强教材的科学性、规范性和实用性。

实施重点

为体现本套教材的编写理念和编写原则，实现教材编写的总体目标和具体目标，全套教材突出了以下实施重点：

（1）系统呈现汉语实用语法、汉语基本词汇、汉字知识、常用汉字；凸显汉语语素、语段、语篇教学；重视语言要素的语用教学、语言项目的功能教学；多方面呈现汉语口语语体和书面语体的特点及其层次。

（2）课文内容、文化内容今古兼顾，以今为主，全方位展现当代中国社会生活；有针对性地融入与学习者理解和运用汉语密切相关的知识文化和交际文化，并予以恰当的诠释。

（3）探索不同语言技能的科学训练体系，突出语言技能的单项、双项和综合训练；在语言要素学习、课文读解、语言点讲练、练习活动设计、任务布置等各个环节中，凸显语言能力教学和语言应用能力训练的核心地位。并通过各种练习和活动，将语言学习与语言实践、课内学习与课外习得、课堂教学与目的语环境联系起来、结合起来。

（4）采取语言要素和课文内容消化理解型练习、深化拓展型练习以及自主应用型练习相结合的训练体系。几乎所有练习的篇幅都超过该课总篇幅的一半以上，有的达到了 2/3 的篇幅；同时，为便于学习者准确地理解、掌握和恰当地输出，许多练习都给出了交际框架、示例、简图、图片、背景材料、任务要求等，以便更好地发挥练习的实际效用。

（5）广泛参考《汉语水平等级标准与语法等级大纲》（1996）、《汉语水平词汇与汉字等级大纲》（2001）、《高等学校外国留学生汉语言专业教学大纲》（2002）、《国际汉语教学通用课程大纲》（2008）、《欧洲语言共同参考框架：学习、教学、评估》（中译本，2008）、《新汉语水平考试大纲（HSK1-6级）》（2009-2010）等各类大纲和标准，借鉴其相关成果和理念，为语言要素层级确定和选择、语言能力要求的确定、教学话题及其内容选择、文化题材及其学习任务建构等提供依据。

（6）依据《高等学校外国留学生汉语教学大纲（长期进修）》（2002），为本套教材编写设计了词汇大纲编写软件，用来筛选、区分和确认各等级词汇，控制每课的词汇总量和超级词、超纲词数量。在实施过程中充分依据但不拘泥于"长期进修"大纲，而是参考其他各类大纲并结合语言生活实际，广泛吸收了诸如"手机、短信、邮件、上网、自助餐、超市、矿泉水、物业、春运、打工、打折、打包、酒吧、客户、密码、刷卡"等当代中国社会生活中已然十分常见的词语，以体现教材的时代性和实用性。

基本定性

《发展汉语》（第二版）是一个按照语言技能综合训练与分技能训练相结合的教学模式编写而成的大型汉语教学和学习平台。整套教材在语体和语域的多样性、语言要素和语言知识及语言技能训练的系统性和针对性，在反映当代中国丰富多彩的社会生活、展现中国文化的多元与包容等方面，都做出了新的努力和尝试。

《发展汉语》（第二版）是一套听、说、读、写与综合横向配套，初、中、高纵向延伸的、完整的大型汉语系列配套教材。全套教材在共同的编写理念、编写目标和编写原则指导下，按照统一而又有区别的要求同步编写而成。不同系列和同一系列不同层级分工合作、相互协调、纵横照应。其体制和规模在目前已出版的国际汉语教材中尚不多见。

特别感谢

感谢国家教育部将《发展汉语》（第二版）列入国家级规划教材，为我们教材编写增添了动力和责任感。感谢编写委员会、编辑委员会和所有编者高度的敬业精神、精益求精的编写态度，以及所投入的热情和精力、付出的心血与智慧。其中，编写委员会负责整套教材及各系列教材的规划、设计与编写协调，并先后召开几十次讨论会，对每册教材的课文编写、范文遴选、体例安排、注释说明、练习设计等，进行全方位的评估、讨论和审定。

感谢中国人民大学么书君教授和北京语言大学出版社张健副社长为整套教材编写作出的特别而重要的贡献。感谢北京语言大学出版社戚德祥社长对教材编写和编辑工作的有力支持。感谢关注本套教材并贡献宝贵意见的对外汉语教学界专家和全国各地的同行。

特别期待

○ 把汉语当做交际工具而不是知识体系来教、来学。坚信语言技能的训练和获得才是最根本、最重要的。

○ 鼓励自己喜欢每一本教材及每一课书。教师肯于花时间剖析教材，谋划教法。学习者肯于花时间体认、记忆并积极主动运用所学教材的内容。坚信满怀激情地教和饶有兴趣地学会带来丰厚的回馈。

○ 教师既能认真"教教材"，也能发挥才智弥补教材的局限与不足，创造性地"用教材教语言"，而不是"死教教材"、"只教教材"，并坚信教材不过是教语言的材料和工具。

○ 学习者既能认真"学教材"，也能积极主动"用教材学语言"，而不是"死学教材"、"只学教材"，并坚信掌握一种语言既需要通过课本来学习语言，也需要在社会中体验和习得语言，语言学习乃终生之大事。

李　泉

适用对象

《发展汉语·初级听力》（I）适合零起点或能用汉语进行最简单而有限交际的汉语初学者使用。

教材目标

本教材的基本目标：使汉语初学者能够逐渐听懂与语言学习及个人日常生活密切相关的简单语言材料，并能就相关话题与他人进行简单交际。具体而言，学完本教材，学习者应：

（1）能基本听准普通话的声、韵、调。

（2）能听懂用较慢的普通话就日常生活、学习中的常见问题所作的简单、清晰的话语交谈。

（3）能准确获取交谈中涉及的时间、地点、数字等具体信息。

（4）具有初步的猜词能力，并能在具体的语境中，了解他人对简单事情叙述的基本内容，理解说话人的基本意图。

特色追求

（1）注重与相关教材的配合

《发展汉语·初级听力》（I）的课文均由与学习者密切相关的学习和日常生活场景构成，内容涉及与此相关的简单谈话及叙述体短文。语法和词汇尽量与《发展汉语·初级综合》（I）相照应并注意复现，以便初学者更快地熟悉和掌握所学汉语知识，了解、熟悉相关语言知识在语言生活中的使用情况，并在总体上降低初学者的听力难度。

（2）注重语音、语调的训练

为使学习者具备听准普通话声、韵、调的能力，以及为其日后汉语听力的提高打下良好的基础，语音训练贯穿初级听力整个教学阶段。

（3）注重听说结合

课文内容注重语言、场景真实，尽量使所听内容与实际生活联系起来。重视听与说的结合，寓听力能力的培养于听说的结合之中，力求使学习者听了就能懂，听了就能说。

（4）尝试教材内容可视可听

教材将生活中最常用的词以图示方式形象直观地展示出来，希望能够立竿见影地帮助学习者认知相关的词语，从而改变生词靠翻译、记忆的一般做法。同时，也希望听力的对话和叙述文本能够成为学习者课下的视读材料，以便延伸和增强教材资源的可利用性。

使用建议

（1）本教材共30课，建议每课用2课时完成。

（2）教材编写力求简明、扼要，进一步讲解和训练可参考网上配套资源。

（3）语音练习中的辨音练习，建议听录音和教师发音二者结合起来，交替进行。即让学生有时候听录音，有时候听老师读，这样学习者既有机会听到录音，也有机会听到"即时的、现场的"真实的言语表述。

（4）语音部分"我也知道"环节，以图片形式演绎与衣食住行密切相关的词语内容，使学习者从第一堂课就强烈地感受到每次课都能学到生活中实实在在有用的内容。建议这些词语不听录音，由教师带读。

（5）听说结合，将教学内容延伸到生活中去，是本教材的一个侧重点。因此，教材中设计了相关练习，希望学习者能够及时把听到的内容、知识与现实生活联系起来。

特别期待

◎ 听前不必预习生词和课文内容，把每听一遍课文都当成一次听力测试。

◎ 听录音时集中精力，主动思考，大胆猜测，不必介意一词一句的得失。

◎ 课后反复听录音，并尽可能寻找机会去听别人说话。

◎ 坚信用心去听就是在进步，并为自己听懂的部分而高兴。

◇ 布置问题能随着所听次数的增加而由易到难，层层深入。

◇ 把所听内容用自己的话复述给学习者听。

◇ 课上把听和问结合起来，把听和说结合起来。

◇ 每次课都补充几段适合学习者实际汉语水平的"可懂"泛听材料。

特别感谢

《发展汉语·初级听力》（I）的英语翻译由高悦完成，插图由严禔完成，特致谢忱！

《发展汉语》（第二版）编写委员会及本册教材编者

目　录　Contents

语法术语及缩略形式参照表
Abbreviations of Grammar Terms

Grammar Terms in Chinese	Grammar Terms in *pinyin*	Grammar Terms in English	Abbreviations
名词	míngcí	noun	n. / 名
代词	dàicí	pronoun	pron. / 代
数词	shùcí	numeral	num. / 数
量词	liàngcí	measure word	m. / 量
动词	dòngcí	verb	v. / 动
助动词	zhùdòngcí	auxiliary	aux. / 助动
形容词	xíngróngcí	adjective	adj. / 形
副词	fùcí	adverb	adv. / 副
介词	jiècí	preposition	prep. / 介
连词	liáncí	conjunction	conj. / 连
助词	zhùcí	particle	part. / 助
拟声词	nǐshēngcí	onomatopoeia	onom. / 拟声
叹词	tàncí	interjection	int. / 叹
前缀	qiánzhuì	prefix	pref. / 前缀
后缀	hòuzhuì	suffix	suf. / 后缀
成语	chéngyǔ	idiom	idm. / 成
主语	zhǔyǔ	subject	S
谓语	wèiyǔ	predicate	P
宾语	bīnyǔ	object	O
补语	bǔyǔ	complement	C
动宾结构	dòngbīn jiégòu	verb-object	VO
动补结构	dòngbǔ jiégòu	verb-complement	VC
动词短语	dòngcí duǎnyǔ	verbal phrase	VP
形容词短语	xíngróngcí duǎnyǔ	adjectival phrase	AP

1 你 好
Hello

第一部分　语音
Part One　Pronunciation

声母 Initials:	b	p	m	f	d	t	n	l
	g	k	h					
韵母 Finals:	a	o	e	i	u	ü		
	ai	ei	ao	ou	an	en	ang	eng
	ong	in	ing	er				

一、唱读四声 *Practice the four tones.*

ā	á	ǎ	à	ō	ó	ǒ	ò
ē	é	ě	è	yī	yí	yǐ	yì
wū	wú	wǔ	wù	yū	yú	yǔ	yù

二、听读辨调 *Listen, read and discriminate the tones.*

bā—bà	pā—pà	bā—pá
bī—bǐ	pī—pí	bì—pǐ
dā—dá	tā—tǎ	dǎ—tà
gé—gè	ké—kě	gē—kē
gǔ—gù	kǔ—kù	gū—kū

三、重点音节听读 *Listen and read the syllables.*

ǎi	ài	āi	áo	ào	ōu
ān	àn	ēn	èn	áng	àng
yín	yǐn	yīng	yǐng	ěr	èr

1-1-5 四、听读辨音 *Listen, read and discriminate the pronunciations.*

bàn—bàng	bèn—bèng	nín—níng
bái—báo	fǎn—hǎn	páng—fáng
mǎi—měi	mǎn—mǒu	máng—míng
fèi—fàn	fēn—fāng	fēng—hēng
dào—dòu	dòng—dìng	mèng—gèng

1-1-6 五、辨音辨调 *Discriminate the syllables and tones.*

fǒu—gòu	bào—pǎo	náng—làng
tàn—gān	yīn—lín	nán—háng
běn—fēng	fǎng—pàng	tīng—dǐng
nóng—hōng	láo—làn	kǒu—kòng

1-1-7 六、听读词语 *Listen and read the following words.*

fēnkāi	ānpái	bīnglěng	bēifèn
pīnyīn	kāi mén	kēpǔ	gōnghài
étóu	èmèng	értóng	nǚ'ér
pútao	yīfu	wǒmen	nǐmen

1-1-8 七、听录音，给下面的拼音标上声调

Listen to the recording and add tone marks to the following pinyin.

ā   yi   e   nü   hou   di   hao   nin

1-1-9 八、我也知道 *I know it too!*

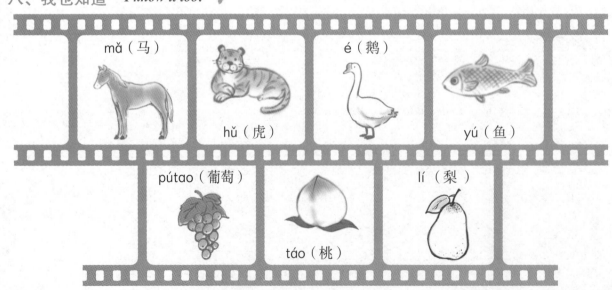

九、我知道汉语怎么说　*I know how to say it in Chinese!*

（ A ）　　（　　）　　（　　）　　（　　）　　（　　）　　（　　）

第二部分　课文
Part Two　Texts

一、跟读生词　*Read the following words after the recording.*

课文一　*Text 1*

1.	你	nǐ	*pron.*	you
2.	好	hǎo	*adj.*	good, well, fine, OK

课文二　*Text 2*

3.	们	men	*suf.*	*used after a personal pronoun or a noun to show plural number*
4.	您	nín	*pron.*	you (polite form)
	你好/您好	nǐ hǎo/nín hǎo		how are you, hello

二、跟读课文　*Read the texts after the recording.*

课文一　*Text 1*

男：你好！
女：你好！

课文二　*Text 2*

老师：你们好！
学生：您好！

三、模仿课文，根据实际情况互相问答
Follow the texts and make a dialogue according to the actual situation.

你是哪国人
Which Country Are You From

第一部分　语音
Part One　Pronunciation

2-1-1

声母 Initials：	zh	ch	sh	r
	z	c	s	
韵母 Finals：	ua	uo	uai	uei（ui）
	uan	uen（un）	uang	ueng

2-1-2　一、唱读四声　*Practice the four tones.*

wā	wá	wǎ	wà	wō		wǒ	wò
wāi		wǎi	wài	wēi	wéi	wěi	wèi
wān	wán	wǎn	wàn	wēn	wén	wěn	wèn
wāng	wáng	wǎng	wàng	wēng		wěng	wèng

2-1-3　二、听读辨调，并为每行最后两个音节标上声调

Listen, read and discriminate the tones, and add tone marks to the last two syllables of each line.

wá—wǎ	wǒ—wō	wēi—wéi	wǎn—wàn	wo	wan
wěn—wèn	wàng—wǎng	wāng—wáng	wāi—wài	wang	wai

2-1-4　三、重点音节听读　*Listen and read the syllables.*

zhī	zhǐ	zhì	chī	chí	chǐ
shī	shí	shì	rì	zī	zì
cí	cǐ	cì	sī	sǐ	sì

2-1-5　四、听读辨音，并为每行最后两个音节填上声母

Listen, read and discriminate the syllables, and fill in the blanks with the correct initials.

zhī—chī	zhǐ—shǐ	zhī—zī	cì—chì	ch ī	___ì
zǐ—sǐ	rì—rè	chí—shí	sì—shì	___í	___ì

2-1-6 五、辨音辨调 *Discriminate the syllables and tones.*

zhuō—zuò   zhuī—zhuó   chuāi—chún

chuán—luàn   shuāng—shuǎi   ruì—lùn

rè—le   shuí—chuī   shuàn—shùn

chuān—chuáng   zuì—huī   wán—huǎn

2-1-7 六、听读词语，并为每行最后的拼音填上声母

Listen and read the words and expressions, and fill in the blanks with the correct initials.

fāshāo   duìhuà   éwài   gānzào   __g__ōngzuò

gǔzhǎng   hǎoshì   hùzhào   shàngwǎng   ____uàzhǎn

sùshè   wènlù   dǎ chē   zuòkè   ____ōngwǔ

dàshǐguǎn   èrshǒuhuò   hāmìguā   zǒu guòchǎng ____ìzhùcān

2-1-8 七、在你听到的音节上画圈 *Circle each syllable that you hear.*

ēn / (āng)   bǎi / pà   mín / méng   dài / dà

tuǒ / zǒu   ruò / rì   shuí / zuǐ   zhǎng / chán

2-1-9 八、听录音，给下面的拼音标上声调

Listen to the recording and add tone marks to the following pinyin.

chuan   zhi   chuang   chi   zhua   chui   shui   suo

zuo   zui   zun   wai   wen   wang   ri   weng

2-1-10 九、我也知道 *I know it too!*

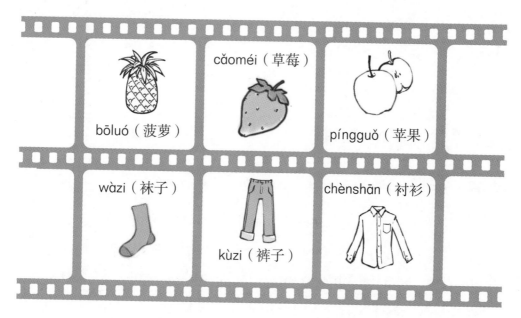

bōluó（菠萝）   cǎoméi（草莓）   píngguǒ（苹果）

wàzi（袜子）   kùzi（裤子）   chènshān（衬衫）

2-1-11　十、朗读下列课堂用语　*Read aloud the following classroom expressions.*

1. 上课。（Class begins.）
   Shàngkè.

2. 跟我读。（Read after me.）
   Gēn wǒ dú.

3. 听我发音。（Listen to my pronunciation.）
   Tīng wǒ fāyīn.

4. 很好。（Very good.）
   Hěn hǎo.

5. 下课。（Class is over.）
   Xiàkè.

第二部分　课文
Part Two　Texts

2-2-1　一、跟读生词　*Read the following words after the recording.*

课文一 *Text 1*

1.	早上	zǎoshang	*n.*	morning, early morning

课文二 *Text 2*

2.	是	shì	*v.*	to be
3.	哪	nǎ	*pron.*	which, what
4.	国	guó	*n.*	country, nation
5.	人	rén	*n.*	person, people
6.	我	wǒ	*pron.*	I, me
7.	他	tā	*pron.*	he, him
	她	tā	*pron.*	she, her
8.	老师	lǎoshī	*n.*	teacher

2-2-2　二、跟读专名　*Read the following proper nouns after the recording.*

1.	英国	Yīngguó	United Kingdom
2.	美国	Měiguó	United States of America
3.	中国	Zhōngguó	People's Republic of China

2-2-3 三、跟读短语或句子 *Read the following phrases or sentences after the recording.*

1. 早上好!
   Zǎoshang hǎo!

2. 哪国人
   nǎ guó rén

3. 他是哪国人?
   Tā shì nǎ guó rén?

4. 你是哪国人?
   Nǐ shì nǎ guó rén?

5. 你们是哪国人?
   Nǐmen shì nǎ guó rén?

6. 你们老师是哪国人?
   Nǐmen lǎoshī shì nǎ guó rén?

7. 我们是美国人。
   Wǒmen shì Měiguó rén.

8. 我们老师是中国人。
   Wǒmen lǎoshī shì Zhōngguó rén.

9. 他们是英国人。
   Tāmen shì Yīngguó rén.

10. 他们老师是中国人。
    Tāmen lǎoshī shì Zhōngguó rén.

 2-2-4 四、听录音，模仿课文一互相问答 *Listen to the recording and make a dialogue after Text 1.*

1. 你好!
2. 你们好!
3. 您好!
4. 早上好!

2-2-5 五、听录音，模仿课文二互相问答 *Listen to the recording and make a dialogue after Text 2.*

1. 你是哪国人?

2. 他/她是哪国人?

3. 他们是哪国人?

4. 老师是哪国人?

5. 你们是哪国人?

6. 你们老师是哪国人?

六、模仿课文，根据实际情况互相问答
Follow the texts, ask each other questions and give responses according to the actual situation.

3 你叫什么名字
What's Your Name

第一部分　语音

Part One　Pronunciation

3-1-1

声母 Initials:	j	q	x				

声母　Initials：j　　q　　x

韵母　Finals：ia　　ie　　iao　　iou (iu)　　ian　　iang　　iong
　　　　　　　üe　　üan　　ün

3-1-2 一、唱读四声 *Practice the four tones.*

yā	yá	yǎ	yà	yē	yé	yě	yè
yāo	yáo	yǎo	yào	yōu	yóu	yǒu	yòu
yān	yán	yǎn	yàn	yāng	yáng	yǎng	yàng
yōng	yóng	yǒng	yòng	yuē		yuě	yuè
yuān	yuán	yuǎn	yuàn	yūn	yún	yǔn	yùn

3-1-3 二、听读辨调，并为每行最后两个音节标上声调

Listen, read and discriminate the tones, and add tone marks to the last two syllables of each line.

jiā—jiǎ	xuǎn—xuàn	xún—xùn	huān—huàn	qie	qie
jué—juē	xiǎng—xiàng	qiǎn—qiān	hé—hē	xue	xue

3-1-4 三、重点音节听读 *Listen and read the syllables.*

jī	jí	jì	qī	qǐ	qì
xī	xí	xǐ	jiā	jiǎ	jiǎng
xià	xiǎo	xiū	qián	xuǎn	jiào

3-1-5 四、听读辨音，并为每行最后两个音节填上声母

Listen, read and discriminate the syllables, and fill in the blanks with the correct initials.

yě—yǎ	yān—yāng	yóu—yún	yè—yuè	＿＿án	＿＿iàn
yā—yāo	yáo—yóu	yàn—yuàn	yǎng—yǒng	＿＿uán	＿＿ián

8

3-1-6 五、辨音辨调 *Discriminate the syllables and tones.*

jià—xiā   qiǎ—xià   jié—xiè

xié—qiě   jiāo—hào   qiǎo—xiào

xiū—jiǔ   jiǎn—xiàn   qián—jiàn

qiáng—xiǎng   juàn—jūn   quē—jué

3-1-7 六、听读词语，并为每行最后的拼音填上声母

Listen and read the words and expressions, and fill in the blanks with the correct initials.

bīngxiāng   diànshì   qiǎngxiān   fàndiàn   ____ǎnmào

guānxīn   huānyíng   huíjiā   jiànmiàn   ____íngcí

zuótiān   yuànyì   yángcōng   yóujiàn   ____ìhuà

juéde   kèqi   qiánbian   xiàqu   ____iǎoqi

3-1-8 七、在你听到的音节上画圈 *Circle each syllable that you hear.*

qià / xiá   xiē / xuè   jiāng / jiān   xián / xiù

xiǎn / xuǎn   qiāo / xiāo   qué / qié   qiān / qiāng

3-1-9 八、听录音，给下面的拼音标上声调

Listen to the recording and add tone marks to the following pinyin.

jie   jian   quan   qiang   juan   jiao   xie   xiao

qiaoliang   jiaohua   zuotian   jiejue   qiguai   diu mianzi

3-1-10 九、我也知道 *I know it too!*

niúnǎi（牛奶）

miànbāo（面包）

jīdàn（鸡蛋）

xié（鞋）

T xùshān（T恤衫）

máoyī（毛衣）

3-1-11　十、朗读下列课堂用语　*Read aloud the following classroom expressions.*

1. 打开书。（Open the book.）
　　Dǎkāi shū.

2. 听录音。（Listen to the recording.）
　　Tīng lùyīn.

3. 听清了吗？（Did you hear it clearly? / Are you clear?）
　　Tīngqīng le ma?

4. 有问题吗？（Do you have any questions?）
　　Yǒu wèntí ma?

5. 再念一遍。（Please read it again.）
　　Zài niàn yí biàn.

3-1-12　十一、跟我读　*Read after me.*

1	*2*	*3*	*4*	*5*	*6*	*7*	*8*	*9*	*10*
yī	èr	sān	sì	wǔ	liù	qī	bā	jiǔ	shí

第二部分　课文
Part Two　Texts

3-2-1　一、跟读生词　*Read the following words after the recording.*

课文一　*Text 1*

1.	姓	xìng	*v.*	to be surnamed
2.	什么	shénme	*pron.*	what
3.	叫	jiào	*v.*	to call, to name
4.	名字	míngzi	*n.*	name
5.	呢	ne	*part.*	*used at the end of an interrogative sentence to indicate a question*

课文二　*Text 2*

6.	请问	qǐngwèn	*v.*	may I ask…
	请	qǐng	*v.*	please
	问	wèn	*v.*	to ask
7.	贵姓	guìxìng	*n.*	your (honorable) surname

3-2-2 二、跟读专名 *Read the following proper nouns after the recording.*

1.	山田佑	Shāntián Yòu	Yu Yamada (name of a Japanese student)
2.	日本	Rìběn	Japan
3.	李美丽	Lǐ Měilì	Li Meili (name of an American student)
4.	张	Zhāng	Zhang (a Chinese surname)

3-2-3 三、跟读短语或句子 *Read the following phrases or sentences after the recording.*

1. 姓什么
xìng shénme

2. 你姓什么？
Nǐ xìng shénme?

3. 请问，你姓什么？
Qǐngwèn, nǐ xìng shénme?

4. 请问，您贵姓？
Qǐngwèn, nín guìxìng?

5. 我姓山田。
Wǒ xìng Shāntián.

6. 你叫什么？
Nǐ jiào shénme?

7. 你叫什么名字？
Nǐ jiào shénme míngzi?

8. 请问，您叫什么名字？
Qǐngwèn, nín jiào shénme míngzi?

9. 我叫山田佑。
Wǒ jiào Shāntián Yòu.

10. 我姓李，叫李美丽。
Wǒ xìng Lǐ, jiào Lǐ Měilì.

3-2-4 四、听录音，模仿课文一互相问答 *Listen to the recording and make a dialogue after Text 1.*

1. 你姓什么？

2. 你叫什么名字？

3. 你是哪国人，叫什么名字？

3-2-5 五、听录音，模仿课文二互相问答 *Listen to the recording and make a dialogue after Text 2.*

1. 你是哪国人？

2. 你姓什么？叫什么名字？

3. 他呢？

六、你问问题，我回答 *Raise your questions and let me answer them.*

这是什么
What's This

第一部分　语音
Part One　Pronunciation

4-1-1 一、听后跟读 *Listen to the recording and read after it.*

yīshēng	cāntīng	ānpái	Zhōngguó
shāngpǐn	hē shuǐ	chī fàn	fāngbiàn
juéxīn	niánqīng	xuéxí	tíqián
shípǐn	liángshuǎng	yóujiàn	xíguàn
Běijīng	huǒchē	nǎiyóu	zhěngqí
liǎojiě	yǔsǎn	xiězì	nǔlì
wànyī	lùdēng	diànchí	qùnián
zìdiǎn	shàngwǎng	Hànzì	diànhuà

4-1-2 二、听读辨音，并为每行最后两个词的拼音填上声母或声调

Listen, read and discriminate the syllables, and add the correct initials or tone marks to the pinyin of the last two words of each line.

ǎi pàng—àigǎng　　bàodào—bàogào　　jiǎngjià—fàngjià　bāo___án　　pào___àn

běifāng—běnháng　kěyǐ—kěqì　　　　shǒuxù—Hànyǔ　dapi　　　　dapin

4-1-3 三、重点拼音听读 *Listen and read the pinyin.*

bù chī	bù kū	bù tīng	bù lái	bù huán	bù nán
bù xiǎng	bù zǒu	bù hǎo	búcuò	bú huì	búyòng
nǐmen	lìqi	kǒudai	wénzi	rìzi	huíqu
kèqi	juéde	nào dùzi	yǒu yìsi	kàn xiàohua	gòu jiāoqing

4-1-4 四、在你听到的词语拼音上画圈 *Circle the pinyin of each word you hear.*

xūn / jùn	nǚ / lǚ	shī / jī	qī / xī
cūn / cuī	zuǒ / zuò	zhuì / zhǔn	zhuān / zhuāng
píngrì / píngshí	rúyì / rúyuàn	shēngmìng / shēngmíng	wǎngluò / wǎngluó
wùhuì / wǔhuì	zhídé / zhǐdé	lùfèi / lǚfèi	lìqiú / lìqiū

4-1-5 五、听录音，给下面的拼音标上声调

Listen to the recording and add tone marks to the following pinyin.

caomei   boluo   putao   T xushan   wazi   kuzi

baiban   baoming   danyi   fumu   gudai   liju

zhen'ai   zaofan   shuzi   remen   nanshou   yifu

4-1-6 六、我也知道 *I know it too!*

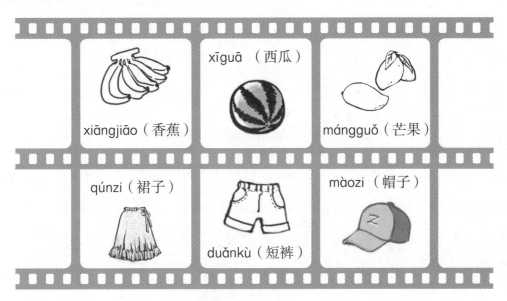

xiāngjiāo（香蕉）   xīguā（西瓜）   mángguǒ（芒果）

qúnzi（裙子）   duǎnkù（短裤）   màozi（帽子）

第二部分　课文
Part Two　Texts

4-2-1 一、跟读生词 *Read the following words after the recording.*

课文一 *Text 1*

1.	这	zhè (zhèi)	*pron.*	this
2.	书	shū	*n.*	book
3.	那	nà (nèi)	*pron.*	that
4.	也	yě	*adv.*	also, too
5.	吗	ma	*part.*	*used at the end of a question*
6.	不	bù	*adv.*	not, no
7.	面包	miànbāo	*n.*	bread

课文二 Text 2

8.	苹果	píngguǒ	n.	apple
9.	咖啡	kāfēi	n.	coffee
10.	茶	chá	n.	tea

课文三 Text 3

11.	汽车	qìchē	n.	automobile, car
12.	词典	cídiǎn	n.	dictionary
13.	谁	shéi (shuí)	pron.	who, whom
14.	同学	tóngxué	n.	fellow student, schoolmate, classmate

4-2-2 二、跟读专名 *Read the following proper noun after the recording.*

汉语   Hànyǔ   Chinese (language)

4-2-3 三、跟读短语或句子 *Read the following phrases or sentences after the recording.*

1. 这是什么？
Zhè shì shénme?

2. 那是什么？
Nà shì shénme?

3. 这是词典吗？
Zhè shì cídiǎn ma?

4. 这是汉语书吗？
Zhè shì Hànyǔ shū ma?

5. 那是汉语词典吗？
Nà shì Hànyǔ cídiǎn ma?

6. 那也是词典吗？
Nà yě shì cídiǎn ma?

7. 他是谁？
Tā shì shéi?

8. 汉语书
Hànyǔ shū

9. 汉语词典
Hànyǔ cídiǎn

10. 这是书。
Zhè shì shū.

11. 那是面包。
Nà shì miànbāo.

12. 这也是书。
Zhè yě shì shū.

13. 那不是面包。
Nà bú shì miànbāo.

14. 这是书，那也是书。
Zhè shì shū, nà yě shì shū.

15. 这不是茶，这是咖啡。
Zhè bú shì chá, zhè shì kāfēi.

16. 这是苹果。
Zhè shì píngguǒ.

17. 那是汽车。
Nà shì qìchē.

18. 她是张老师。
Tā shì Zhāng lǎoshī.

4-2-4 四、听录音，判断 A 和 B 哪个是你听到的 *Choose A or B according to what you hear.*

1. A. 那是什么?
   Nà shì shénme?
   B. 这是什么?
   Zhè shì shénme?

2. A. 这是词典。
   Zhè shì cídiǎn.
   B. 这也是词典。
   Zhè yě shì cídiǎn.

3. A. 那是汉语词典吗?
   Nà shì Hànyǔ cídiǎn ma?
   B. 那是汉语词典。
   Nà shì Hànyǔ cídiǎn.

4. A. 那是谁?
   Nà shì shéi?
   B. 他是谁?
   Tā shì shéi?

5. A. 那是汽车。
   Nà shì qìchē.
   B. 那是面包。
   Nà shì miànbāo.

6. A. 这是茶，不是咖啡。
   Zhè shì chá, bú shì kāfēi.
   B. 这不是茶，这是咖啡。
   Zhè bú shì chá, zhè shì kāfēi.

4-2-5 五、根据课文一做下面的练习 *Do the following exercises according to Text 1.*

（一）选择正确答案 *Choose the correct answer.*

1. A.    B.

2. A.    B.

（二）跟我读 *Read after me.*

1. 这是什么?
2. 这是书。

3. 那也是书吗?
4. 那不是书，那是面包。

4-2-6　六、根据课文二做下面的练习　*Do the following exercises according to Text 2.*

（一）选择正确答案　*Choose the correct answer.*

1. A. 　　　B.

2. A. 　　　B.

3. A. 汉语书　　　B. 英语书

（二）边听录音边填空，然后朗读　*Listen to the recording, fill in the blanks and then read aloud.*

1. A：那（　　　　　）咖啡吗？
   B：那不是咖啡，那是茶。

2. A：这是（　　　　　）书？
   B：这是汉语书。

4-2-7　七、根据课文三做下面的练习　*Do the following exercises according to Text 3.*

（一）选择正确答案　*Choose the correct answer.*

1. A. 　　　B.

2. A. 　　　B.

3. A. 　　　B.

4. A. 我的老师   B. 我的同学

5. A. 英国人   B. 美国人

（二）快速回答问题 *Give quick responses to the questions.*

1. 这是茶吗？

2. 那是汉语词典吗？

3. 他是谁？

4. 他是美国人吗？

5. 你呢？

八、根据实际情况互相问答

Ask each other questions and give responses according to the actual situation.

1. 你是哪国人？

2. 他是哪国人？

3. 你的老师是哪国人？

4. 你的同学是哪国人？

5. 你姓什么？

6. 你叫什么名字？

5 你有几本词典

How Many Dictionaries Do You Have

第一部分　语音
Part One　Pronunciation

5-1-1 一、听后跟读　*Listen to the recording and read after it.*

wénxué	rùwǎng	nèiróng	jǔxíng	guānmén	Hànzì
ǒurán	èliè	ōuyuán	wǔhuán	bēnzǒu	péngyou
shàngwǔ	xiàwǔ	Xiānggǎng	shàngwǎng	hěn duō	hěn fán
hézī	fùxí	zhāngzuǐ	zuìchū	ānquán	ángguì

5-1-2 二、听读辨音，并为每行最后两个词的拼音填上声母

Listen, read and discriminate the syllables, and fill in the blanks with the correct initials.

báhé—páshān	nǚ'ér—niúnǎi	jiéshí—jiēshi	____ǔlì	____ùlǐ
bīngxié—pīnxiě	huāfěn—wǒmen	yōudiǎn—xiūxián	____uàn qián	____àn qián

5-1-3 三、重点拼音听读　*Listen and read the pinyin.*

yì tiān	yì zhāng	yì fēnzhōng	yì rén	yì tiáo	yì mén kè
yì běn	yì bǎ	yì xiǎoshí	yí wèi	yí jiàn	yíhuìr
érzi	ěrduo	zhèr	nàr	nǎr	wánr

5-1-4 四、在你听到的词语拼音上画圈　*Circle the pinyin of each word you hear.*

gāodù / gùyì	héhǎo / hǎokàn	mǎidān / mìnglìng	fànwǎn / fāshēng
nàlǐ / nǎlǐ	nánguài / nánguò	déyì / déyǐ	bǎmài / báibái

5-1-5 五、听录音，给下面的拼音填上声母

Listen to the recording and fill in the blanks with the correct initials.

____āfāng	____iányi	____àrén	____èbié	____ǔdài	____ǔnàn
____ēngfù	____úshuō	____iúnǎi	____iúliàn	____īdao	____ídào

18

5-1-6 六、跟我读 *Read after me.*

11	12	13	14	15	16	......
shíyī	shí'èr	shísān	shísì	shíwǔ	shíliù	
20	21	22	23	24	25	......
èrshí	èrshíyī	èrshí'èr	èrshísān	èrshísì	èrshíwǔ	
30	31	32	33	......	40	41
sānshí	sānshíyī	sānshí'èr	sānshísān		sìshí	sìshíyī
42	......	100				
sìshí'èr		yìbǎi				

5-1-7 七、我也知道 *I know it too!*

量词　Measure words

1. 个 gè

bōluó（菠萝）

lí（梨）

cǎoméi（草莓）

píngguǒ（苹果）

jiǎozi（饺子）

chéngzi（橙子）

xīguā（西瓜）

mángguǒ（芒果）

jīdàn（鸡蛋）

bāozi（包子）

pánzi（盘子）

wǎn（碗）

2. 本 běn

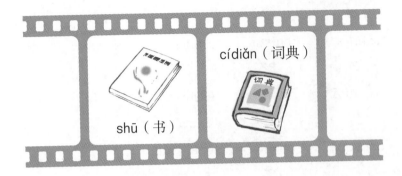

shū（书）　　cídiǎn（词典）

3. 件 jiàn

T xùshān（T恤衫）　　chènshān（衬衫）　　máoyī（毛衣）　　miányī（棉衣）

4. 条 tiáo

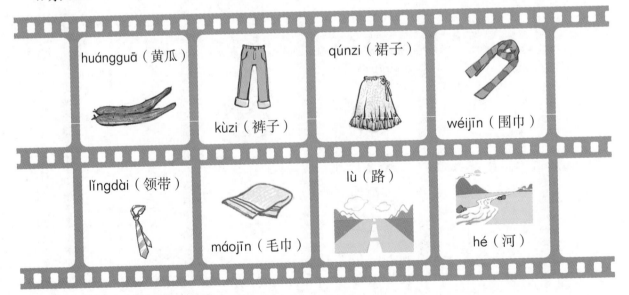

huángguā（黄瓜）　　kùzi（裤子）　　qúnzi（裙子）　　wéijīn（围巾）

lǐngdài（领带）　　máojīn（毛巾）　　lù（路）　　hé（河）

第二部分　课文
Part Two　Texts

5-2-1 一、跟读生词　*Read the following words after the recording.*

课文一　*Text 1*

1.	有	yǒu	*v.*	to have, there be
2.	几	jǐ	*num.*	how many
3.	本	běn	*m.*	*used for books of various kinds*
4.	两	liǎng	*num.*	two
5.	都	dōu	*adv.*	all

课文二　*Text 2*

6.	多少	duōshao	*pron.*	how much, how many
7.	个	gè	*m.*	*usually used before a noun having no fixed measure word of its own*
8.	朋友	péngyou	*n.*	friend

课文三　*Text 3*

9.	班	bān	*n.*	class
10.	男	nán	*adj.*	male
11.	女	nǚ	*adj.*	female
12.	留学生	liúxuéshēng	*n.*	student studying abroad, international student
13.	和	hé	*conj.*	and

5-2-2 二、跟读专名　*Read the following proper nouns after the recording.*

1.	德国	Déguó	Germany
2.	越南	Yuènán	Vietnam

5-2-3 三、跟读短语或句子 *Read the following phrases or sentences after the recording.*

1. 一本书
yì běn shū

2. 一本词典
yì běn cídiǎn

3. 一本汉语词典
yì běn Hànyǔ cídiǎn

4. 一本汉语书
yì běn Hànyǔ shū

5. 我有一本汉语书。
Wǒ yǒu yì běn Hànyǔ shū.

6. 我们班
wǒmen bān

7. 我们班同学
wǒmen bān tóngxué

8. 几个
jǐ ge

9. 几个同学
jǐ ge tóngxué

10. 几个好朋友
jǐ ge hǎo péngyou

11. 你有几个好朋友？
Nǐ yǒu jǐ ge hǎo péngyou?

12. 几个男同学
jǐ ge nán tóngxué

13. 多少个留学生
duōshao ge liúxuéshēng

14. 你们班有多少个留学生？
Nǐmen bān yǒu duōshao ge liúxuéshēng?

15. 几个老师
jǐ ge lǎoshī

16. 都是
dōu shì

17. 我们都是留学生。
Wǒmen dōu shì liúxuéshēng.

18. 你们老师都是中国人吗？
Nǐmen lǎoshī dōu shì Zhōngguó rén ma?

5-2-4 四、听录音，判断 A 和 B 哪个是你听到的 *Choose A or B according to what you hear.*

1. A. 一本词典
yì běn cídiǎn

B. 几本词典
jǐ běn cídiǎn

2. A. 这是汉语书
zhè shì Hànyǔ shū

B. 一本汉语书
yì běn Hànyǔ shū

3. A. 我们班女老师
wǒmen bān nǚ lǎoshī

B. 我们班男同学
wǒmen bān nán tóngxué

4. A. 我们都是留学生。
Wǒmen dōu shì liúxuéshēng.

B. 我们是留学生。
Wǒmen shì liúxuéshēng.

5. A. 老师也是中国人。
   Lǎoshī yě shì Zhōngguó rén.
   B. 老师都是中国人。
   Lǎoshī dōu shì Zhōngguó rén.

6. A. 我们班有12个留学生。
   Wǒmen bān yǒu shí'èr ge liúxuéshēng.
   B. 你们班有多少个留学生？
   Nǐmen bān yǒu duōshao ge liúxuéshēng?

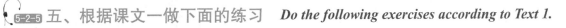

五、根据课文一做下面的练习 *Do the following exercises according to Text 1.*

（一）选择正确答案 *Choose the correct answer.*

A. 　　　B.

（二）边听录音边填空，然后朗读 *Listen to the recording, fill in the blanks and then read aloud.*

1. A：你有（　　　　）本词典？
   B：（　　　　）本。

2. A：两（　　　　）什么词典？
   B：（　　　　）是汉语词典。

六、根据课文二做下面的练习 *Do the following exercises according to Text 2.*

（一）选择正确答案 *Choose the correct answer.*

1. A. 45 本　　　　　　　　　B. 15 本
2. A. 汉语书　　　　　　　　B. 英语书
3. A. 都是中国人　　　　　　B. 不都是中国人

（二）边听录音边填空，然后朗读 *Listen to the recording, fill in the blanks and then read aloud.*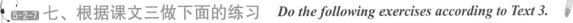

1. A：你有（　　　　）本书？
   B：15 本。

2. A：都是（　　　　）书？
   B：都是汉语书。

七、根据课文三做下面的练习 *Do the following exercises according to Text 3.*

（一）选择正确答案 *Choose the correct answer.*

1. A. 23 个　　　　　　　　B. 20 个
2. A. 中国人　　　　　　　　B. 英国人
3. A. 日本留学生　　　　　　B. 美国留学生

（二）快速回答问题 *Give quick responses to the questions.*

1. 他们班有多少人？

2. 他们班有多少男同学，多少女同学？

3. 他们老师是哪国人？

4. 他们班有留学生吗？

5. 他们班留学生是哪国人？

八、根据实际情况互相问答

Ask each other questions and give responses according to the actual situation.

1. 我们班有多少个同学？

2. 我们班有几个女同学？几个男同学？

3. 你有几本词典？都是汉语词典吗？

4. 你有几本书？都是汉语书吗？

6 苹果多少钱一斤

How Much Is Half a Kilo of Apples

第一部分　语音

Part One　Pronunciation

6-1-1 一、听后跟读 *Listen to the recording and read after it.*

zuòkè	fēijī	diànnǎo	bìngjià	huánjìng	dànshì
bìméngēng	lǎoyítào	jiǎngxuéjīn	liánxùjù	xǐyījī	xiāofèipǐn
bǎifēnbǐ	bú guòyǐn	bāng dàománg	dānshēnhàn	gēngyīshì	gōngchéngshī

6-1-2 二、听读辨音，并为每行最后两个词的拼音填上韵母或声母

Listen, read and discriminate the syllables, and fill in the blanks with the correct finals or initials.

guānzhào—gānrǎo　héjiě—héxié　hàipà—hèkǎ　q___lì　q___lì

xiànxiàng—xiànliàng　gǎnjǐn—gànjìn　gūdú—kěwù　___iānnán　___uānchuán

6-1-3 三、重点拼音听读 *Listen and read the pinyin.*

dìfang	ěxin	fènliang	shāngliang	xiàohua	xiǎoqi
fā píqi	hǎojiāhuo	shuōbudìng	hédelái	láibují	diū miànzi

6-1-4 四、在你听到的词语拼音上画圈 *Circle the pinyin of each word you hear.*

píjù / píqi　　pīfā / pífá　　yīnglǐ / nónglì　　zìbái / zìbēi

zhǔguān / zǔlán　zhǐnéng / chízhòng　zhīchí / zìcí　　zhǎyǎn / zhāyǎn

6-1-5 五、听录音，给下面的拼音填上声母

Listen to the recording and fill in the blanks with the correct initials.

___iùwèi　___iūlǐ　___īxiǎng　___ìzhǎng　___ún qián　___ūnyán

___ìtǐ　___ìyì　___uìfu　___uìwǔ　___uántǐ　___uānqū

6-1-6 六、听录音，给下面的拼音标上声调

Listen to the recording and add tone marks to the following pinyin.

meihao	pengyou	zhenzheng	na guo	renmin	tiancai
ciyu	renao	fanying	manyi	renzhen	nuli

6-1-7　七、我也知道　*I know it too!*

xīhóngshì
（西红柿）

lìzhī（荔枝）

míhóutáo
（猕猴桃）

6-1-8　八、跟我读　*Read after me.*

（一）人民币　Rénmínbì

yìbǎi kuài / yuán （100 块/元）	wǔshí kuài / yuán （50 块/元）	èrshí kuài / yuán （20 块/元）
shí kuài / yuán （10 块/元）	wǔ kuài / yuán （5 块/元）	liǎng kuài / yuán （两块/元）
yí kuài / yì yuán （1 块/元）	wǔ máo / líng diǎn wǔ yuán （5 毛/0.5 元）	
liǎng máo / líng diǎn èr yuán （两毛/0.2 元）	yì máo / líng diǎn yī yuán （1 毛/0.1 元）	
wǔ fēn / líng diǎn líng wǔ yuán （5 分/0.05 元）	èr fēn / líng diǎn líng èr yuán （2 分/0.02 元）	
yì fēn / líng diǎn líng yī yuán （1 分/0.01 元）		

0.15 元	0.7 元	2.9 元	15 元	19.9 元
87 元	121.4 元	307.9 元	565.2 元	100.8 元

（二）多少钱？　Duōshao qián?

菠萝 / 西瓜 / 梨 / 草莓 / …… / 盘子 / T 恤衫 / 裤子多少钱一斤 / 个 / 件 / 条？

这种菠萝 / 西瓜 / 梨 / 草莓 / …… / 盘子 / T 恤衫 / 裤子多少钱？

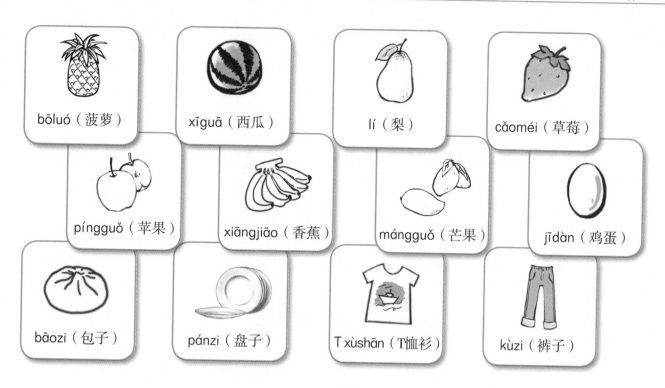

bōluó（菠萝）　xīguā（西瓜）　lí（梨）　cǎoméi（草莓）

píngguǒ（苹果）　xiāngjiāo（香蕉）　mángguǒ（芒果）　jīdàn（鸡蛋）

bāozi（包子）　pánzi（盘子）　T xùshān（T恤衫）　kùzi（裤子）

第二部分　课文
Part Two　Texts

6-2-1 一、跟读生词　***Read the following words after the recording.***

课文一　*Text 1*

1.	钱	qián	*n.*	money
2.	斤	jīn	*m.*	*jin* (a unit of weight), 1/2 kilogram
3.	块	kuài	*m.*	*kuai* (the basic unit of money in China)
4.	梨	lí	*n.*	pear
5.	买	mǎi	*v.*	to buy
6.	一共	yígòng	*adv.*	altogether, in all
7.	找	zhǎo	*v.*	to give change

课文二　*Text 2*

8.	西瓜	xīguā	*n.*	watermelon
9.	真	zhēn	*adv.*	really

10.	贵	guì	*adj.*	expensive
11.	种	zhǒng	*m.*	kind, type
12.	毛	máo	*m.*	*mao* (a fractional unit of money in China), one tenth of a *kuai*
13.	的	de	*part.*	of (*used after an attributive word or phrase*)
14.	特别	tèbié	*adv.*	very, extremely
15.	好吃	hǎochī	*adj.*	tasty, delicious
16.	便宜	piányi	*adj.*	cheap
17.	甜	tián	*adj.*	sweet
18.	一定	yídìng	*adv.*	must

 二、跟读短语或句子　***Read the following phrases or sentences after the recording.***

1. 多少钱
duōshao qián

2. 多少钱一斤？
Duōshao qián yì jīn?

3. 多少钱一个？
Duōshao qián yí ge?

4. 这个多少钱？
Zhège duōshao qián?

5. 这种多少钱？
Zhè zhǒng duōshao qián?

6. 这种多少钱一斤？
Zhè zhǒng duōshao qián yì jīn?

7. 真贵！
Zhēn guì!

8. 不贵
bú guì

9. 都不贵
dōu bú guì

10. 特别贵
tèbié guì

11. 真便宜!
Zhēn piányi!

12. 特别便宜
tèbié piányi

13. 不便宜
bù piányi

14. 真好吃!
Zhēn hǎochī!

15. 一定好吃
yídìng hǎochī

16. 特别好吃
tèbié hǎochī

6-2-3 三、听录音，判断 A 和 B 哪个是你听到的　　*Choose A or B according to what you hear.*

1. A. 这个多少钱？

　　Zhège duōshao qián?

B. 这种多少钱？

　　Zhè zhǒng duōshao qián?

2. A. 这种多少钱一个？

　　Zhè zhǒng duōshao qián yí ge?

B. 这种多少钱一斤？

　　Zhè zhǒng duōshao qián yì jīn?

3. A. 苹果、梨都不贵。

　　Píngguǒ, lí dōu bú guì.

B. 苹果、梨都特别贵。

　　Píngguǒ, lí dōu tèbié guì.

4. A. 这种苹果不贵。

　　Zhè zhǒng píngguǒ bú guì.

B. 这种苹果真贵！

　　Zhè zhǒng píngguǒ zhēn guì!

5. A. 西瓜不便宜。

　　Xīguā bù piányi.

B. 西瓜真便宜！

　　Xīguā zhēn piányi!

6. A. 特别好吃

　　tèbié hǎochī

B. 一定好吃

　　yídìng hǎochī

6-2-4 四、根据课文一做下面的练习　　*Do the following exercises according to Text 1.*

（一）在表格中正确的位置画 √　　*Put a " √ " at the right places in the table.*

	4.50元/斤	3.20元/斤	2.80元/斤	5.20 元	7.20 元
1.					
2.					
3. 四个苹果两个梨一共多少钱？					

（二）边听录音边填空，然后朗读　　*Listen to the recording, fill in the blanks and then read aloud.*

1. 苹果多少钱一（　　　　　）？

2. 苹果五块二，梨两块，（　　　　　）七块二。

3. 找你（　　　　　）块八。

6-2-5 五、根据课文二做下面的练习　*Do the following exercises according to Text 2.*

（一）选择正确答案　*Choose the correct answer.*

1. A. 1.80 元　　　　　　　　　B. 0.80 元

2. A. 1.80 元一斤的西瓜　　　　B. 0.80 元一斤的西瓜

（二）跟我读　*Read after me.*

1. 都是一块八吗？

2. 那种不甜。

3. 这个一定好吃。

6-2-6 六、根据课文三做下面的练习　*Do the following exercises according to Text 3.*

（一）选择正确答案　*Choose the correct answer.*

1. A. 不贵　　　　　　　　　B. 好吃

2. A. 梨　　　　　　　　　　B. 西瓜

3. A. 李美丽　　　　　　　　B. 山田

（二）边听录音边填空，然后朗读　*Listen to the recording, fill in the blanks and then read aloud.*

1. （　　　　　　）汉语叫什么？

2. 一块八？真（　　　　　）！

3. 西瓜有（　　　　　）种，一种一块八，一种八毛。

七、根据课文内容互相问答

Ask each other questions and give responses according to the texts.

1. 苹果多少钱一斤？

2. 梨也是四块五一斤吗？

3. 西瓜多少钱一斤？

4. 西瓜好吃吗？

5. 李美丽的词典多少钱？你的呢？

7

留学生楼在哪儿

Where Is the International Student Building

第一部分　语音
Part One　Pronunciation

7-1-1 一、听后跟读 *Listen to the recording and read after it.*

qímiào	liánluò	qiānwàn	kāiyè	qīnrè	jiǎozhà
miàntiáo	dìdiǎn	kēxué	fùjìn	zǒngjié	qūbié
hùliánwǎng	méi shénme	tǐyùguǎn	duìbuqǐ	fúwùyuán	yǒu hǎochu
gāo rén yì děng	zhīshi chǎnquán		shǔ yī shǔ èr		zhǎngshàng diànnǎo

7-1-2 二、听读辨音，并为每行最后两个词的拼音标上声调

Listen, read and discriminate the syllables, and add tone marks to the pinyin of the last two words of each line.

wǔqǔ—wùqū	yùgǎn—yǔgǎn	xiàn'é—xuǎnzé	xiaojie	xiaoxue
xíngwéi—xínghuì	yíguàn—xíguàn	shīyè—xīquē	danwei	kaihui

7-1-3 三、在你听到的词语拼音上画圈 *Circle the pinyin of each word you hear.*

zhēnshí / zhòngshì	zhìcí / zìsī	jīntiān / qùnián	zǔgé / zhùhè
sīyíng / zìxíng	fēijī / huìqì	yǔyán / yìyǎn	gòujiàn / gòngxiàn

7-1-4 四、听录音，给下面的拼音填上声母

Listen to the recording and fill in the blanks with the correct initials.

____ínfèn	____īngshen	____ìjǐ	____íyì	____iéshǒu	____ièkǒu
____iǎnbiàn	____iǎngniàn	____ǔsè	____ùsè	____ìqī	____ièhén

7-1-5 五、听录音，给下面的拼音标上声调

Listen to the recording and add tone marks to the following pinyin.

zunjing	duifu	wanhui	zhunshi	lixiang	yuanyan
jingzhong	jingzhong	hezuo	haoren	dianzi	shubao

7-1-6　六、我也知道　*I know it too!*

量词　Measure words

1. 支 zhī

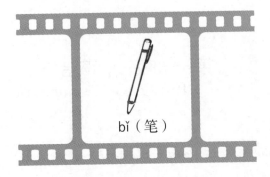

bǐ（笔）

2. 张 zhāng

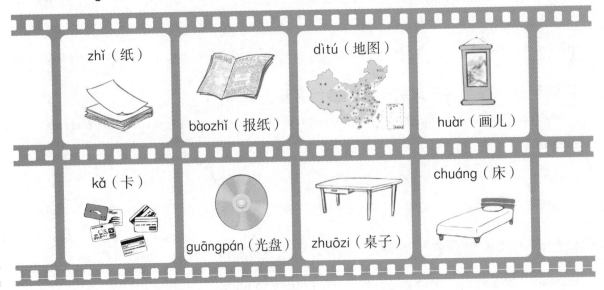

zhǐ（纸）

bàozhǐ（报纸）

dìtú（地图）

huàr（画儿）

kǎ（卡）

guāngpán（光盘）

zhuōzi（桌子）

chuáng（床）

3. 块 kuài

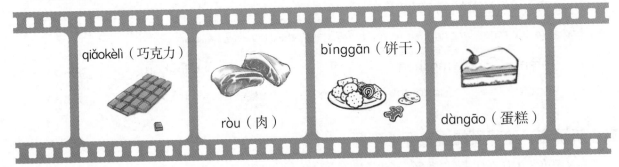

qiǎokèlì（巧克力）

ròu（肉）

bǐnggān（饼干）

dàngāo（蛋糕）

4. 双 shuāng

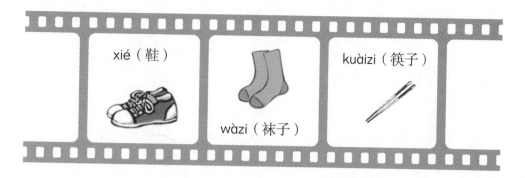

第二部分　课文
Part Two　Texts

7-2-1 一、跟读生词　*Read the following words after the recording.*

课文一　*Text 1*

1.	吧	ba	*part.*	used at the end of a sentence to indicate a mild suggestion
2.	楼	lóu	*n.*	building
3.	在	zài	*v.*	indicating where a person or thing is
4.	哪儿	nǎr	*pron.*	where
5.	~边	~bian	*suf.*	suffix of a noun of locality
	前边	qiánbian	*n.*	front
	后边	hòubian	*n.*	back, behind
	西边	xībian	*n.*	west
	北边	běibian	*n.*	north
	南边	nánbian	*n.*	south
	东边	dōngbian	*n.*	east
	里边	lǐbian	*n.*	inside
	外边	wàibian	*n.*	outside
6.	体育馆	tǐyùguǎn	*n.*	gymnasium, stadium

7.	旁边	pángbiān	*n.*	beside
8.	就	jiù	*adv.*	exactly
9.	找	zhǎo	*v.*	to find, to look for
10.	一起	yìqǐ	*adv.*	together
11.	去	qù	*v.*	to go
12.	学生	xuésheng	*n.*	student
13.	认识	rènshi	*v.*	to know
14.	很	hěn	*adv.*	very, quite
15.	高兴	gāoxìng	*adj.*	happy, pleased

课文二　**Text 2**

16.	超市	chāoshì	*n.*	supermarket
17.	那儿	nàr	*pron.*	there
18.	看	kàn	*v.*	to see, to read, to watch
19.	这儿	zhèr	*pron.*	here
20.	图书馆	túshūguǎn	*n.*	library
21.	银行	yínháng	*n.*	bank
22.	商场	shāngchǎng	*n.*	department store

课文三　**Text 3**

| 23. | 远 | yuǎn | *adj.* | far |
| 24. | 地方 | dìfang | *n.* | place |

7-2-2 二、跟读专名　*Read the following proper nouns after the recording.*

| 1. | 王英 | Wǎng Yīng | Wang Ying (name of a Chinese student) |
| 2. | 中国银行 | Zhōngguó Yínháng | Bank of China |

7-2-3 三、跟读句子 *Read the following sentences after the recording.*

1. 银行在哪儿?
   Yínháng zài nǎr?

2. 超市在什么地方?
   Chāoshì zài shénme dìfang?

3. 这儿是体育馆。
   Zhèr shì tǐyùguǎn.

4. 图书馆在那儿。 *The library is over there!*
   Túshūguǎn zài nàr.

5. 商场在银行东边。
   Shāngchǎng zài yínháng dōngbian.

6. 我们一起去吧。
   Wǒmen yìqǐ qù ba.

7. 留学生楼远吗? *(Is the) Internatinal Student Building*
   Liúxuéshēng lóu yuǎn ma? *Far?*

8. 留学生楼不远。
   Liúxuéshēng lóu bù yuǎn.

9. 你看，那儿就是。
   Nǐ kàn, nàr jiù shì.

10. 留学生楼旁边有一个超市。
    Liúxuéshēng lóu pángbiān yǒu yí ge chāoshì.

11. 留学生楼旁边是图书馆，还有一个体育馆。
    Liúxuéshēng lóu pángbiān shì túshūguǎn, hái yǒu yí ge tǐyùguǎn.

12. 认识你很高兴。
    Rènshi nǐ hěn gāoxìng.

7-2-4 四、听录音，判断 A 和 B 哪个是你听到的 *Choose A or B according to what you hear.*

1. A. 银行在哪儿?
   Yínháng zài nǎr?
   B. 银行在那儿。
   Yínháng zài nàr.

2. A. 超市在什么地方?
   Chāoshì zài shénme dìfang?
   B. 超市在那个地方。
   Chāoshì zài nàge dìfang.

3. A. 图书馆在这儿。
   Túshūguǎn zài zhèr.
   B. 图书馆在那儿。
   Túshūguǎn zài nàr.

4. A. 商场在银行东边。
   Shāngchǎng zài yínháng dōngbian.
   B. 商场在银行旁边。
   Shāngchǎng zài yínháng pángbiān.

5. A. 你看，那个就是。
   Nǐ kàn, nàge jiù shì.
   B. 你看，那儿就是。
   Nǐ kàn, nàr jiù shì.

6. A. 留学生楼旁边有一个超市。
   Liúxuéshēng lóu pángbiān yǒu yí ge chāoshì.
   B. 留学生楼前边有一个超市。
   Liúxuéshēng lóu qiánbian yǒu yí ge chāoshì.

7-2-5　五、根据课文一做下面的练习　*Do the following exercises according to Text 1.*

（一）选择正确答案　*Choose the correct answer.*

　　1. A. 体育馆前边　　　　　　　B. 体育馆旁边

　　2. A. 山田佑　　　　　　　　　B. 李美丽

（二）请在下面的地图中标出哪个是留学生楼

　　Please mark the location of the international student building on the map.

○lóu=building
○shí táng-cafeteria
○shāng chǎng
　-shopping mall
○tí yù

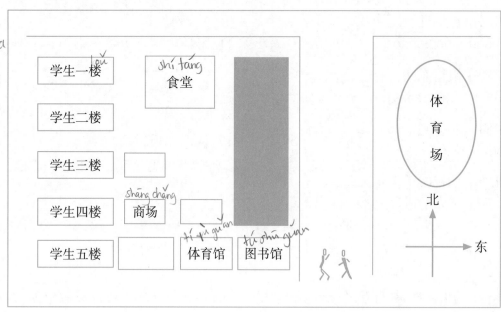

（三）边听录音边填空，然后朗读　*Listen to the recording, fill in the blanks and then read aloud.*

　　1. 体育馆（　　　　　）就是。

　　2. 你（　　　　　）谁？

　　3. 我也找她，我们（　　　　　）去吧。

七-2-6 六、根据课文二做下面的练习 *Do the following exercise according to Text 2.*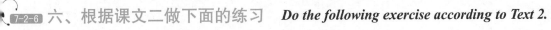

请在下面的地图中标出 *Please mark the following locations on the map.*

1. 银行
2. 超市

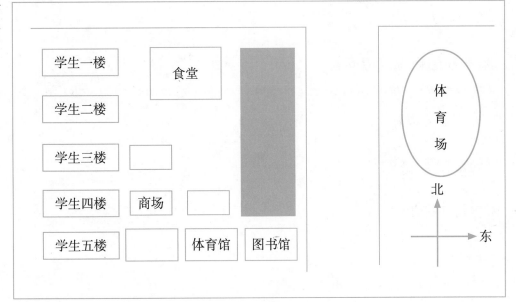

七-2-7 七、根据课文三做下面的练习 *Do the following exercises according to Text 3.*

（一）请在下面的地图中标出 *Please mark the following locations on the map.*

1. 银行
2. 商场

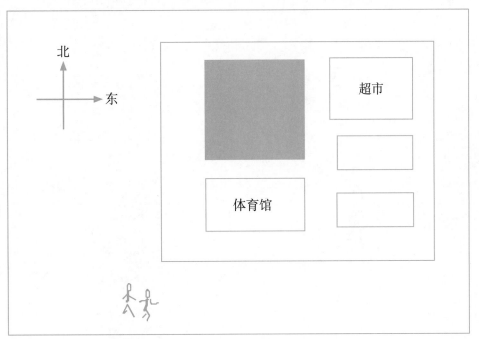

（二）快速回答问题　*Give quick responses to the questions.*

1. 银行远吗？

2. 他们去哪儿？

八、根据实际情况互相问答

Ask each other questions and give responses according to the actual situation.

1. 你宿舍旁边有什么？

2. 超市在哪儿？

3. 银行在哪儿？

今天星期几
What Day Is It Today

第一部分　语音
Part One　Pronunciation

8-1-1 一、听后跟读　*Listen to the recording and read after it.*

xǐ'ài	lǐfà	àihào	dàgài
píjiǔ	gǎnxiè	mùqián	fāpàng
fángwū	hǎogǎn	pèngqiǎo	píngjūn
tàijíquán	shāng nǎojīn	dàshǐguǎn	gǎn shímáo
Zhōngguóhuà	fǎnqīngxiāo	huār	wánr
yìdiǎnr	yíhuìr	yǒudiǎnr	nǚháir

8-1-2 二、听读辨音，并为每行最后两个词的拼音填上声母

Listen, read and discriminate the syllables, and fill in the blanks with the correct initials.

fǎnhuán—huányuán　dāncí—dàicí　xiànxiàng—jīngcháng 　＿＿ù＿＿ué 　＿＿ù＿＿iě

zhōngyǔ—zhòngyì　xǐzǎo—qǐzǎo　tèyì—tèdì 　＿＿uō＿＿ì 　＿＿è＿＿ǐ

8-1-3 三、在你听到的词语拼音上画圈　*Circle the pinyin of each word you hear.*

tánxīn / tuánjié	yǒuxiàn / yōuxián	sǔnhuài / sǔnhuǐ	shōuqí / sōují
cíhuì / zìfèi	shāndǐng / Shāndōng	rúshí / hùshi	shíyàn / xīyān

8-1-4 四、听录音，给下面的拼音填上韵母和声调

Listen to the recording and fill in the blanks with the correct finals and tone marks.

k＿＿sù　k＿＿kǒu　huāny＿＿　h＿＿sè　sh＿＿tǐ　q＿＿xiàn

wánq＿＿　huā q＿＿　g＿＿chéng　guój＿＿　n＿＿zào　p＿＿bàn

8-1-5 五、听录音，给下面的拼音标上声调

Listen to the recording and add tone marks to the following pinyin.

jiaxiang	tiandi	tequ	shouru	xiongwei	yaoshi
xiuxi	ziji	shishi	gutou	xiaoyu	zhongdian

8-1-6 六、我也知道 *I know it too!*

jiǎozi（饺子）

mántou（馒头）

mǐfàn（米饭）

zòngzi（粽子）

第二部分　课文
Part Two　Texts

8-2-1 一、跟读生词 *Read the following words after the recording.*

课文一 *Text 1*

1.	今天	jīntiān	*n.*	today
2.	月	yuè	*n.*	month
3.	号	hào	*m.*	date
4.	星期	xīngqī	*n.*	week
	星期一	xīngqīyī	*n.*	Monday
	星期二	xīngqī'èr	*n.*	Tuesday
	星期三	xīngqīsān	*n.*	Wednesday
	星期四	xīngqīsì	*n.*	Thursday
	星期五	xīngqīwǔ	*n.*	Friday
	星期六	xīngqīliù	*n.*	Saturday
	星期天（星期日）	xīngqītiān (xīngqīrì)	*n.*	Sunday
5.	明天	míngtiān	*n.*	tomorrow
6.	上午	shàngwǔ	*n.*	morning
7.	课	kè	*n.*	class, lesson, course
8.	没（有）	méi (yǒu)	*v.*	not to have, there is/are no

课文二 *Text 2*

9.	妈妈	māma	*n.*	mother
10.	来	lái	*v.*	to come
11.	对	duì	*adj.*	right, correct
12.	哦	ò	*int.*	oh
13.	后天	hòutiān	*n.*	the day after tomorrow
14.	下午	xiàwǔ	*n.*	afternoon

课文三 *Text 3*

15.	想	xiǎng	*v.*	to want to do, to think
16.	书店	shūdiàn	*n.*	bookshop
17.	下课	xiàkè	*v.*	to finish class
18.	以后	yǐhòu	*n.*	after, later
19.	时间	shíjiān	*n.*	time
20.	行	xíng	*v.*	OK, all right
21.	对不起	duìbuqǐ	*v.*	sorry

 8-2-2 二、跟读句子 *Read the following sentences after the recording.*

1. 今天几号？
Jīntiān jǐ hào?

2. 今天几月几号？
Jīntiān jǐ yuè jǐ hào?

3. 今天星期几？
Jīntiān xīngqī jǐ?

4. 今天 15 号。
Jīntiān shíwǔ hào.

5. 今天星期六。
Jīntiān xīngqīliù.

6. 明天 2 月 5 号，星期三。
Míngtiān èr yuè wǔ hào, xīngqīsān.

7. 这是老师的词典。
Zhè shì lǎoshī de cídiǎn.

8. 我想买一本词典。
Wǒ xiǎng mǎi yì běn cídiǎn.

9. 你有时间吗？
Nǐ yǒu shíjiān ma?

10. 我们一起去行吗？
Wǒmen yìqǐ qù xíng ma?

11. 对不起，明天上午我没有时间。
Duìbuqǐ, míngtiān shàngwǔ wǒ méiyǒu shíjiān.

8-2-3　三、听录音，判断 A 和 B 哪个是你听到的　*Choose A or B according to what you hear.*

1. A. 明天 3 月 8 号。
   Míngtiān sān yuè bā hào.
   B. 今天 3 月 8 号。
   Jīntiān sān yuè bā hào.

2. A. 今天 1 号。
   Jīntiān yī hào.
   B. 今天几号？
   Jīntiān jǐ hào?

3. A. 明天 5 号，星期三。
   Míngtiān wǔ hào, xīngqīsān.
   B. 明天 2 月 5 号，星期三。
   Míngtiān èr yuè wǔ hào, xīngqīsān.

4. A. 我想买一本词典。
   Wǒ xiǎng mǎi yì běn cídiǎn.
   B. 我想买一本字典。
   Wǒ xiǎng mǎi yì běn zìdiǎn.

5. A. 这是张老师的词典。
   Zhè shì Zhāng lǎoshī de cídiǎn.
   B. 这是李老师的词典。
   Zhè shì Lǐ lǎoshī de cídiǎn.

6. A. 对不起，后天上午我没有时间。
   Duìbuqǐ, hòutiān shàngwǔ wǒ méiyǒu shíjiān.
   B. 对不起，明天上午我没有时间。
   Duìbuqǐ, míngtiān shàngwǔ wǒ méiyǒu shíjiān.

8-2-4　四、根据课文一做下面的练习　*Do the following exercises according to Text 1.*

（一）选择正确答案　*Choose the correct answer.*

1. A.

星期一	星期二	星期三	星期四	星期五	星期六	星期日
			1	2	3	4
5	6	7	8	9	10	11
12	13	14	15	16	17	18
19	20	21	22	23	24	25
26	27	28	29	30		

B.

星期一	星期二	星期三	星期四	星期五	星期六	星期日
						1
2	3	4	5	6	7	8
9	10	11	12	13	14	15
16	17	18	19	20	21	22
23	24	25	26	27	28	29
30						

2. A.

		星期一	星期二	星期三	星期四	星期五
上午	8：00 — 9：30	口语	综合	综合	口语	写字
	10：00 — 11：30	综合	音乐	听力	综合	听力
下午	2：00 — 3：30		口语		电影	

B.

		星期一	星期二	星期三	星期四	星期五
上午	8：00 — 9：30	口语	综合	口语	口语	写字
	10：00 — 11：30	综合	口语	音乐	综合	听力
下午	2：00 — 3：30		听力		电影	

（二）快速回答问题　*Give quick responses to the questions.*

1. 今天几月几号？

2. 今天星期几？

3. 明天上午有听力课吗？

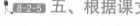 五、根据课文二做下面的练习　*Do the following exercises according to Text 2.*

（一）选择正确答案　*Choose the correct answer.*

1. A. 28 号　　　　　　　B. 29 号

2. A. 星期一　　　　　　B. 星期二

3. A. 是　　　　　　　　B. 不是

（二）快速回答问题　*Give quick responses to the questions.*

1. 今天几号？星期几？

2. 明天几号？星期几？

3. 后天几号？星期几？

4. 女同学的妈妈哪天来？

5. 是上午来，对吗？

8-2-6　六、根据课文三做下面的练习　*Do the following exercises according to Text 3.*

（一）选择正确答案　*Choose the correct answer.*

1. A. 张老师　　　　　　B. 女同学

2. A. 书店　　　　　　　B. 超市

3. A. 有　　　　　　　　B. 没有

（二）边听录音边填空，然后朗读　*Listen to the recording, fill in the blanks and then read aloud.*

1. 这本词典真（　　　　　）！

2. 这是谁（　　　　　）汉语词典？

3. 我（　　　　　）想买一本。

4. 明天上午下课以后你有时间吗？和我一起去（　　　　　）？

5.（　　　　　），明天上午我没有时间。

七、根据实际情况互相问答

Ask each other questions and give responses according to the actual situation.

1. 今天几月几号？星期几？

2. 明天呢？后天呢？

3. 这是谁的词典？

4. 你想买什么？

5. 下课以后，你想去哪儿？

6. 我们一起去超市行吗？

7. 明天你有时间吗？我们一起去书店好吗？

9 你每天几点起床
When Do You Get Up Every Day

第一部分　语音
Part One　Pronunciation

9-1-1 一、听后跟读　*Listen to the recording and read after it.*

huóhuǒshān	héqiántǐng	chūzūchē	pāi mǎpì
fángdàomén	yì zhāng chuáng	zuìxūnxūn	zhǔxīngǔ
zhùxuéjīn	kāi lùdēng	bìméngēng	bālěiwǔ
dānshēn guìzú	gāosù gōnglù	pò bù dé yǐ	rù xiāng suí sú
wǔ huā bā mén	bù sān bú sì	měi zhōng bù zú	dīngzì lùkǒu

9-1-2 二、听读辨音，并为每行最后两个词的拼音填上声母
Listen, read and discriminate the syllables, and fill in the blanks with the correct initials.

shìyè—xuèyè　　ránshāo—fánzào jiāshè—xià chē 　___ǔ ___òng 　___ǎ___ing

quán tiān—qiántiān shíxí—xīqí 　　zànshí—zhǎngshì ___àng___ǔ 　___ià___ǔ

9-1-3 三、在你听到的词语拼音上画圈　*Circle the pinyin of each word you hear.*

xiāngtóng / xiǎngtou　qǐngshì / qīngshì　　zhēngfú / zhèngfǔ　　yǐnqǐ / yǒuqù

bùzú / hútu　　　　xiārén / xiàrén　　　bàn'àn / biànhuàn　　kěyǐ / kèqi

9-1-4 四、听录音，给下面的拼音填上声母
Listen to the recording and fill in the blanks with the correct initials.

___èn___ù　　　___ěng___ì　　　___ēng___ǔ　　　___éng___ù

___uī___uǐ　　　___uīwěi　　　___ī___ù　　　___í___ù

___ìyuàn　　　___īyuán　　　___ī___īng　　　___í___íng

9-1-5 五、听录音，给下面的拼音标上声调
Listen to the recording and add tone marks to the following pinyin.

zhiwu	qiutian	chuyuan	shiji	bingyin	erge
shoubiao	tebie	xisu	xianxian	nande	zuilian

9-1-6 六、听录音，模仿例子填空　*Listen to the recording first and fill in the blanks after the model.*

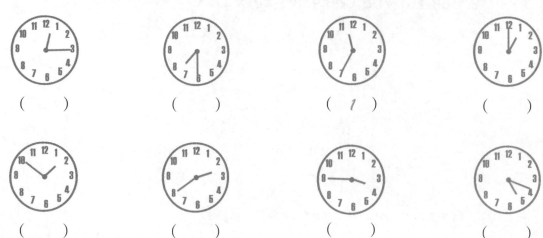

(　　)　　　(　　)　　　(1)　　　(　　)

(　　)　　　(　　)　　　(　　)　　　(　　)

9-1-7 七、我也知道　*I know it too!*

chéngzi（橙子）

mùguā（木瓜）

shíliu（石榴）

pútaojiǔ（葡萄酒）

第二部分　课文
Part Two　Texts

9-2-1 一、跟读生词　*Read the following words after the recording.*

课文一　*Text 1*

1.	每天	měi tiān		every day
	每	měi	*pron.*	every, each
	天	tiān	*n.*	day
2.	点（钟）	diǎn (zhōng)	*m.*	o'clock
3.	起床	qǐchuáng	*v.*	to get up
4.	分（钟）	fēn (zhōng)	*m.*	minute

(handwritten: to stand / get up; bed)

5.	吃	chī	v.	to eat
6.	饭	fàn	n.	meal
	早饭（早餐）	zǎofàn (zǎocān)	n.	breakfast
	午饭（午餐）	wǔfàn (wǔcān)	n.	lunch
	晚饭（晚餐）	wǎnfàn (wǎncān)	n.	supper, dinner
7.	为什么	wèi shénme		why
8.	有时候	yǒu shíhou		sometimes
9.	上课	shàngkè	v.	to go to class
10.	教室	jiàoshì	n.	classroom
11.	半	bàn	num.	half
12.	现在	xiànzài	n.	now
13.	差	chà	v.	to be less than, to fall short of
14.	刻	kè	m.	quarter (of an hour)

Handwritten note: chà 10 fēn 9 diǎn = 8 diǎn 50 fēn

课文二 **Text 2**

15.	要	yào	aux.	to want to do, to need to do
16.	裤子	kùzi	n.	trousers
17.	还	hái	adv.	still, yet, still more, in addition
18.	经常	jīngcháng	adv.	often

课文三 **Text 3**

19.	晚上	wǎnshang	n.	evening, night
20.	学习	xuéxí	v.	to study
21.	上网	shàngwǎng	v.	to surf the Internet

9-2-2 二、跟读专名 *Read the following proper nouns after the recording.*

1.	林小弟	Lín Xiǎodì	Lin Xiaodi (name of a Chinese student)
2.	韩国	Hánguó	Republic of Korea

9-2-3 三、跟读句子　*Read the following sentences after the recording.*

1. 现在几点？
Xiànzài jǐ diǎn?

2. 你们几点上课？
Nǐmen jǐ diǎn shàngkè?

3. 你每天几点起床？
Nǐ měi tiān jǐ diǎn qǐchuáng?

4. 你每天几点去教室？
Nǐ měi tiān jǐ diǎn qù jiàoshì?

5. 你经常去书店吗？
Nǐ jīngcháng qù shūdiàn ma?

6. 你经常去书店买书吗？
Nǐ jīngcháng qù shūdiàn mǎi shū ma?

7. 我经常上网。
Wǒ jīngcháng shàngwǎng.

8. 我每天晚上都上网。
Wǒ měi tiān wǎnshang dōu shàngwǎng.

9. 下午我朋友要来。
Xiàwǔ wǒ péngyou yào lái.

10. 下午我朋友来找我。
Xiàwǔ wǒ péngyou lái zhǎo wǒ.

9-2-4 四、听录音，判断 A 和 B 哪个是你听到的　*Choose A or B according to what you hear.*

1. A. 现在几点？
Xiànzài jǐ diǎn?
B. 现在七点。
Xiànzài qī diǎn.

2. A. 你们几点下课？
Nǐmen jǐ diǎn xiàkè?
B. 你们几点上课？
Nǐmen jǐ diǎn shàngkè?

3. A. 你常常去书店吗？
Nǐ chángcháng qù shūdiàn ma?
B. 你经常去书店吗？
Nǐ jīngcháng qù shūdiàn ma?

4. A. 我每天晚上都上网。
Wǒ měi tiān wǎnshang dōu shàngwǎng.
B. 我每天上午都上网。
Wǒ měi tiān shàngwǔ dōu shàngwǎng.

5. A. 下午我朋友要来找我。
Xiàwǔ wǒ péngyou yào lái zhǎo wǒ.
B. 下午我朋友来找我。
Xiàwǔ wǒ péngyou lái zhǎo wǒ.

五、根据课文一做下面的练习　*Do the following exercises according to Text 1.*

（一）选择正确答案　*Choose the correct answer.*

1. A. 　　　　　　　　B.

2. A. 有时间就吃　　　　　　　B. 每天都不吃

3. A. 　　　　　　　　B.

4. A. 10:15　　　　　　　　　　B. 9:45

（二）边听录音边填空，然后朗读　*Listen to the recording, fill in the blanks and then read aloud.*

1. 我每天七点（　　　　　　）起床。

2. 我（　　　　）每天都吃早饭。

3. 有时候（　　　　　　）有时间。

4.（　　　　　）一刻十点。

 六、根据课文二做下面的练习　*Do the following exercises according to Text 2.*

（一）选择正确答案　*Choose the correct answer.*

1. A. 书店　　　　　　　　B. 超市

2. A. 有　　　　　　　　　B. 没有

3. A. 三点半　　　　　　　B. 五点

（二）快速回答问题　*Give quick responses to the questions.*

1. 李美丽下午想去哪儿？

2. 李美丽要买什么？

3. 王英想和谁一起去书店？

4. 李美丽经常去哪个书店？

5. 王英下午有课吗？

6. 王英几点下课？

7. 李美丽三点半可以去买书吗？为什么？

8. 她们想几点一起去？

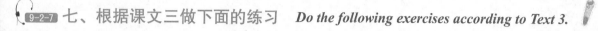

七、根据课文三做下面的练习 *Do the following exercises according to Text 3.*

（一）听录音，模仿例子填表 *Listen to the recording first and fill in the table after the model.*

1. 吃早饭   2. 上网   3. 看朋友   4. 去超市
5. 起床   6. 上课   7. 学习   8. 去教室

	7:20	7:30	7:45	8:00	下午	晚上
林小弟	5					

（二）选择正确答案 *Choose the correct answer.*

1. A. 每天都吃   B. 有时候不吃

2. A. 8:00   B. 9:00

（三）快速回答问题 *Give quick responses to the questions.*

1. 林小弟为什么有时候不吃早饭？

2. 下午林小弟有时候去哪儿？

3. 晚上林小弟要做什么？

八、朗读句子，然后说一说你自己的情况

Read the sentences aloud and talk about your own situation.

1. 林小弟每天七点二十起床，七点半吃早饭，差一刻八点去教室，八点上课。

2. 有时候，林小弟没有时间，就不吃早饭。

3. 下午，他有时候去看朋友，有时候去超市，晚上要学习，还要上网。

4. 他经常想，日本、英国、美国、韩国都是九点上课，我们为什么八点上课？

10

你们小区真漂亮
Your Residential Area Is Really Beautiful

第一部分　语音
Part One　Pronunciation

10-1-1 一、听后跟读　*Listen to the recording and read after it.*

ānxīn	bīngbáo	fāhěn	zūshuì	shíguāng	wénmíng
rénhǎi	yúmèi	lǐkuī	fǎngchá	huǐgǎi	měiwèi
dànshēng	wàngqíng	dàshǐ	yùjiù	gǎn cháoliú	shāchénbào

10-1-2 二、听读辨音，并为每行最后两个词的拼音填上声母

Listen, read and discriminate the syllables, and fill in the blanks with the correct initials.

shíxí—jījí　Wǔhàn—wǔfàn　huángsè—hóngsè　____ì____ě　____ì____ù

qízi—xízi　chídào—chízǎo　mùmǎ—mìmǎ　____ǐ____ùn　____iè____èn

10-1-3 三、在你听到的词语拼音上画圈　*Circle the pinyin of each word you hear.*

xìxīn / xīxīn　qīngxiè / qīngxīn　zhěngqí / zhēngyì　wǎngzhàn / wǎngcháng

bǐwù / bófù　gānyán / gǎnyán　fāfàng / fāfèn　chāochū / zhàogù

10-1-4 四、听录音，给下面的拼音填上声母

Listen to the recording and fill in the blanks with the correct initials.

____ú____uǐ　　____ī____ì　　____í____iú　　____án____ǔ

____ái____ì　　____í____ì　　____ǐ____ài　　____ūn____i

____íng____ǐng　　____ōng____iān　　____ē____àn　　____ī____ī

10-1-5 五、听录音，给下面的拼音填上韵母和声调

Listen to the recording and fill in the blanks with the correct finals and tone marks.

x____x____　　x____x____　　x____x____　　q____q____

h____zh____　　y____y____　　y____q____　　h____k____

y____y____　　z____ch____　　z____z____　　zh____z____

[10-1-6] 六、跟我读　*Read after me.*

xīn	kuài	zuò	děng	dìtiě	xǐhuan
liáotiānr	cānguān	fā píqi	hènbude	nào yìjiàn	gùshipiānr

[10-1-7] 七、我也知道　*I know it too!*

bāozi（包子）　miàntiáo（面条）　yùmǐ（玉米）　dòufu（豆腐）

第二部分　课文
Part Two　Texts

[10-2-1] 一、跟读生词　*Read the following words after the recording.*

课文一　Text 1

1.	觉得	juéde	*v.*	to think, to feel
2.	小区	xiǎoqū	*n.*	residential area, residential community
3.	怎么样	zěnmeyàng	*pron.*	how, what (*used in an interrogative sentence inquiring about nature, condition, manner, volition, etc.*)
4.	漂亮	piàoliang	*adj.*	beautiful
5.	多	duō	*adj.*	many, much
6.	树	shù	*n.*	tree
7.	花	huā	*n.*	flower
8.	少	shǎo	*adj.*	few, little
9.	饭馆	fànguǎn(r)	*n.*	restaurant
10.	近	jìn	*adj.*	near
11.	非常	fēicháng	*adv.*	very
12.	茶馆	cháguǎn(r)	*n.*	teahouse

13.	喝	hē	*v.*	to drink

课文二 *Text 2*

14.	家	jiā	*n.*	home, family
15.	太	tài	*adv.*	very, too, so
16.	走	zǒu	*v.*	to walk, to go, to leave
17.	太……了	tài……le		excessively, too (*usu. used after an adjective to express admiration or exclamation*)
18.	环保	huánbǎo	*n./adj.*	environmental protection; environment-friendly
19.	累	lèi	*adj.*	tired
20.	事	shì	*n.*	matter, affair
21.	讨论	tǎolùn	*v.*	to discuss
22.	一下	yíxià	*m.*	one time, once, in a short while (*used after a verb to indicate one action or one try*)
23.	问题	wèntí	*n.*	issue

10-2-2 二、跟读短语或句子 *Read the following phrases or sentences after the recording.*

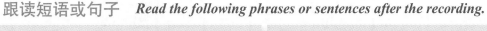

1. 很多
   hěn duō

2. 不少
   bù shǎo

3. 树很多，花也不少。
   Shù hěn duō, huā yě bù shǎo.

4. 这个小区的树很漂亮。
   Zhège xiǎoqū de shù hěn piàoliang.

5. 饭馆很近。
   Fànguǎnr hěn jìn.

6. 请喝茶。
   Qǐng hē chá.

7. 我们去喝茶。
   Wǒmen qù hē chá.

8. 太远了!
   Tài yuǎn le!

9. 你累不累?
   Nǐ lèi bu lèi?

10. 你有事吗?
    Nǐ yǒu shì ma?

11. 你有什么事?
    Nǐ yǒu shénme shì?

13. 讨论问题
    tǎolùn wèntí

14. 讨论环保问题
    tǎolùn huánbǎo wèntí

15. 讨论一下环保问题
    tǎolùn yíxià huánbǎo wèntí

10-2-3 三、听录音，判断 A 和 B 哪个是你听到的　*Choose A or B according to what you hear.*

1. A. 树很多，花也不少。
   Shù hěn duō, huā yě bù shǎo.

   B. 树很多，花也很多。
   Shù hěn duō, huā yě hěn duō.

2. A. 这个地方的树很漂亮。
   Zhège dìfang de shù hěn piàoliang.

   B. 这个小区的树很漂亮。
   Zhège xiǎoqū de shù hěn piàoliang.

3. A. 我们去喝茶。
   Wǒmen qù hē chá.

   B. 我们去喝茶吧。
   Wǒmen qù hē chá ba.

4. A. 我们不累。
   Wǒmen bú lèi.

   B. 你累不累？
   Nǐ lèi bu lèi?

5. A. 你有什么事？
   Nǐ yǒu shénme shì?

   B. 你有没有事？
   Nǐ yǒu méiyǒu shì?

6. A. 讨论环保问题
   tǎolùn huánbǎo wèntí

   B. 讨论讨论问题
   tǎolùn tǎolùn wèntí

10-2-4 四、根据课文一做下面的练习　*Do the following exercises according to Text 1.*

（一）选择正确答案　*Choose the correct answer.*

1. A.　　　　　　　　　　　　　　B.

2. A. 饭特别贵　　　　　　　　　　B. 饭非常好吃

（二）边听录音边填空，然后朗读　*Listen to the recording, fill in the blanks and then read aloud.*

1. 你们小区真漂亮，有很（　　　　　）树，花也不（　　　　　）。
2. 去饭馆吃饭很（　　　　　），饭也非常好吃。
3. 我很（　　　　）去饭馆吃饭。
4. 我（　　　　）去小区旁边的茶馆。

10-2-5 五、根据课文二做下面的练习 *Do the following exercises according to Text 2.*

（一）选择正确答案 *Choose the correct answer.*

1. A. 不太远　　　　　B. 非常远

2. A. 张老师家非常近　B. 五个同学一起走

3. A. 上课　　　　　　B. 讨论问题

（二）快速回答问题 *Give quick responses to the questions.*

1. 王英下午去哪儿？

2. 张老师家远吗？

3. 王英怎么去？

4. 王英他们去张老师家有什么事？

10-2-6 六、根据课文三做下面的练习 *Do the following exercises according to Text 3.*

（一）选择正确答案 *Choose the correct answer.*

1. A. 图书馆　　　　　B. 银行

2. A. 买书　　　　　　B. 吃饭

3. A. 汽车　　　　　　B. 人

（二）边听录音边填空，然后朗读 *Listen to the recording, fill in the blanks and then read aloud.*

1. 中国不（　　　　　）小区都很漂亮，有很多树，有很多花。

2. 小区旁边有超市、银行、商场，（　　　　　）一定有书店，也（　　　　　）一定有图书馆。

3. 小区旁边都有饭馆、茶馆，吃饭、喝茶都不是很贵，就是汽车太（　　　　　）。

七、说一说，图片中的小区怎么样

What do you think of the residential areas shown in the pictures?

1.

2.

11

你在这儿买什么
What Do You Want to Buy Here

11-1-1 一、仔细听，选择你听到的音节　*Listen carefully and choose the syllables you hear.*

shī / xī	sì / shì	kuà / kuā	qǐ / jù	huà / fā	nǔ / rú
mǎi / huài	qì / jì	qiū / jiù	xǔ / lù	kuān / guàn	bǎi / pà

11-1-2 二、仔细听，选择你听到的词语　*Listen carefully and choose the words you hear.*

biǎoyáng / piàoliang	diànniàn / tiānrán	xīwàng / xūpàng	wǔshuì / wūshuǐ
jìnbīng / jiānbing	yuánquán / yǎnkàn	yuányīn / yǎnjing	wūrǎn / wǔrǔ

11-1-3 三、听后填上声母　*Fill in the blanks with the correct initials according to what you hear.*

___ì___ī	___ǐ___í	___ián___ú	___iǎ___ú
___ī___ao	___í___ào	___án___en	___āi___ǐ
___uānyíng	___ǎo___ì	___à___uō___ù	___ěn___eyàng

11-1-4 四、听写拼音　*Write down the pinyin you hear.*

_____

_____

11-1-5 五、跟我读　*Read after me.*

zuì	zuò	shàngxué	huídá	zhǔnbèi	àihào
yīshēng	míngnián	xūyào	gǎn xìngqù	fā píqi	hènbude

11-1-6　六、我也知道　*I know it too!*

pánzi（盘子）　　wǎn（碗）　　sháo（勺）　　chāzi（叉子）

第二部分　课文
Part Two　Texts

11-2-1　一、跟读生词　**Read the following words after the recording.**

课文一　*Text 1*

1.	在	zài	*prep.*	at, in, on (*indicating where a person or thing is*)
2.	手机	shǒujī	*n.*	mobile phone
3.	大	dà	*adj.*	big
4.	只	zhǐ	*adv.*	only
5.	喜欢	xǐhuan	*v.*	to like
6.	逛	guàng	*v.*	to roam, to stroll, to saunter

课文二　*Text 2*

7.	从	cóng	*prep.*	from
8.	到	dào	*v.*	to get to (a place)
	从……到……	cóng……dào……		from…to…
9.	汽车站	qìchē zhàn		bus stop
	（公共）汽车	(gōnggòng) qìchē	*n.*	bus
	站	zhàn	*n.*	stop
10.	等	děng	*v.*	to wait

11.	坐	zuò	*v.*	to travel by (bus, train or plane, etc.)
12.	地铁	dìtiě	*n.*	subway
13.	快	kuài	*adj.*	fast
14.	记	jì	*v.*	to remember
15.	号（码）	hào (mǎ)	*n.*	number
16.	新	xīn	*adj.*	new
17.	说	shuō	*v.*	to say, to speak, to talk
18.	再	zài	*adv.*	again
19.	遍	biàn	*m.*	time (*denoting an action from beginning to end*)

课文三 Text 3

20.	忙	máng	*adj.*	busy
21.	参观	cānguān	*v.*	to visit
22.	聊天儿	liáotiānr	*v.*	to chat
	聊	liáo	*v.*	to chat, to talk about

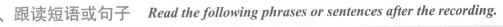

11-2-2 二、跟读短语或句子 *Read the following phrases or sentences after the recording.*

1. 手机号码
2. 新手机号码
3. 我的新手机号码
4. 从家到汽车站
5. 从汽车站到地铁站
6. 从书店到超市
7. 从家到地铁站走十分钟
8. 坐地铁很快

9. 坐汽车不快，坐地铁快。
10. 我等你。
11. 我在汽车站等你。
12. 我下午在图书馆等你。
13. 我明天中午十一点在饭馆等你。
14. 再说一遍。
15. 我喜欢逛商场。
16. 没事的时候，我喜欢逛书店。

11-2-3 三、听录音，判断 A 和 B 哪个是你听到的 *Choose A or B according to what you hear.*

1. A. 买手机去商场好。
   B. 买手机去大商场好。

2. A. 你在这儿买什么？
   B. 你来这儿买什么？

3. A. 你在汽车站等我，我们一起走。
   B. 你在地铁站等我，我们一起走。

4. A. 从这儿到家不太远。
   B. 从这儿到他家不太远。

5. A. 你记一下我的手机号码。
　　B. 你记一下我的手机号吧。

6. A. 我再说一遍。
　　B. 请再说一遍。

11-2-4 四、根据课文一做下面的练习　*Do the following exercises according to Text 1.*

（一）选择正确答案　*Choose the correct answer.*

1. A. 很漂亮　　　　　　　　　B. 不太贵

2. A. 大商场有三种手机　　　　B. 大商场有很多种手机

3. A. 东边　　　　　　　　　　B. 旁边

（二）边听录音边填空，然后朗读　*Listen to the recording, fill in the blanks and then read aloud.*

1. 李美丽，你（　　　　　）这儿买什么？

2. 我想买手机。你看，这个（　　　　　）？

3. 你（　　　　　）贵不贵？

4. 买手机去大商场好，你看，这儿（　　　　　　　）有三种，大商场有很多种。

11-2-5 五、根据课文二做下面的练习　*Do the following exercises according to Text 2.*

（一）选择正确答案　*Choose the correct answer.*

1. A. 有事　　　　　　　　　　B. 没事

2. A. 汽车站　　　　　　　　　B. 地铁站

3. A. 没有　　　　　　　　　　B. 有

（二）快速回答问题　*Give quick responses to the questions.*

1. 星期日晚上她们去哪儿？

2. 她们几点走？

3. 她们为什么坐地铁？

11-2-6 六、根据课文三做下面的练习　*Do the following exercises according to Text 3.*

（一）选择正确答案　*Choose the correct answer.*

1. A.

		星期一	星期二	星期三	星期四	星期五
上午	8：00 — 9：30	口语	综合	综合	口语	写字
	10：00 — 11：30	综合	音乐	听力	综合	听力
下午	2：00 — 3：30		口语		电影	

B.

		星期一	星期二	星期三	星期四	星期五
上午	8：00 — 9：30	口语	综合	综合	口语	
	10：00 — 11：30	综合	口语		综合	听力
下午	2：00 — 3：30					

2. A. 上网 　　　　　　　 B. 逛商店

（二）根据课文内容填表　*Fill in the table according to the text.*

	上网	上课	喝咖啡	参观	看书	学习汉语	逛商店	聊天儿
每天上午"我"要		√						
下午"我"喜欢								
晚上"我"喜欢								
晚上"我"要								

七、根据实际情况互相问答

Ask each other questions and give responses according to the actual situation.

1. 你的手机是在哪儿买的？

2. 你的手机贵不贵？

3. 你的手机漂亮吗？

4. 你喜欢逛商场吗？

5. 你喜欢上网吗？

6. 你喜欢聊天儿吗？

7. 你每天上午都有课吗？

8. 你喜欢喝咖啡吗？

9. 我说我的手机号，你记一下好吗？

10. 你再说一遍我的手机号，好吗？

12

坐汽车好，还是骑自行车好

Which One Is Better: Taking a Bus or Riding a Bike

第一部分　语音
Part One　Pronunciation

12-1-1 一、仔细听，选择你听到的音节　*Listen carefully and choose the syllables you hear.*

sǔn / suì	zhǐ / cì	yuè / yè	tiān / tīng	yuǎn / yǎn	wèi / wèn
yǒu / yǒng	dié / qiē	quán / xuán	zūn / cún	zì / cí	jiào / qiáo
zhǐ / cǐ	jīng / qìng	huàn / huáng	dūn / tuì	xiě / xué	ruì / kuì

12-1-2 二、仔细听，选择你听到的词语　*Listen carefully and choose the words you hear.*

jìjié / zhíjiē	tiānqì / diǎnlǐ	zújì / zhùyì	zájì / zájù
yuànyán / yǎnsuàn	shàngwǔ / xiàwǔ	dìfāng / dìfang	shíjì / sījī

12-1-3 三、听后填上声母　*Fill in the blanks with the correct initials according to what you hear.*

____ī____ùn　　　____ìyào　　　____íyǔ　　　____ī____àn

____ù____uà　　　____è____ū　　　____ī____ǔ　　　____ènyì

____ī____í　　　____ì____óng　　　____ǎn____òng　　　____uán____uǐ

12-1-4 四、听后标出声调　*Add tone marks to the pinyin according to what you hear.*

fakuan	juxing	rumi	gangcai	diaocha	huixin
kuaiche	lifa	bangmang	ganzao	huanghua	weishengzhi

12-1-5 五、跟我读　*Read after me.*

bāng	zū	lí	xiǎoshí	zuótiān	bānjiā
búcuò	zuòkè	yǐjīng	kěyǐ	fāngbiàn	dǎ diànhuà

12-1-6 六、我也知道 *I know it too!*

dāo（刀）

bēizi（杯子）

kuàngquánshǐ（矿泉水）

sǎn（伞）

第二部分　课文
Part Two　Texts

12-2-1 一、跟读生词 *Read the following words after the recording.*

课文一 *Text 1*

1.	回答	huídá	*v.*	to answer
2.	上学	shàngxué	*v.*	to go to school
3.	还是	háishi	*conj.*	or
4.	工作	gōngzuò	*v./ n.*	to work; work
5.	医生	yīshēng	*n.*	doctor
6.	爸爸	bàba	*n.*	dad
7.	做	zuò	*v.*	to do
8.	骑	qí	*v.*	to ride (on an animal or a bicycle)
9.	自行车	zìxíngchē	*n.*	bicycle
10.	对	duì	*prep.*	for
11.	身体	shēntǐ	*n.*	body, health
12.	可是	kěshì	*conj.*	but
13.	更	gèng	*adv.*	more
14.	因为	yīnwèi	*conj.*	because

课文二 Text 2

15. 介绍	jièshào	*v.*	to introduce
16. 自己	zìjǐ	*pron.*	oneself
17. 大学	dàxué	*n.*	university, college
18. 年级	niánjí	*n.*	grade, year
19. 明年	míngnián	*n.*	next year
20. 准备	zhǔnbèi	*v.*	to prepare
21. 干	gàn	*v.*	to do
22. 需要	xūyào	*v.*	to need
23. 爱好	àihào	*n.*	hobby
24. 旅游	lǚyóu	*v.*	to travel
25. 最	zuì	*adv.*	most
26. 先	xiān	*adv.*	first, before

课文三 Text 3

27. 感兴趣	gǎn xìngqù	to be interested in

12-2-2 二、跟读短语或句子 ***Read the following phrases or sentences after the recording.***

1. 对身体好

2. 骑车对身体好。

3. 骑自行车对身体好。

4. 你想工作，还是想上学？

5. 上学好，还是工作好？

6. 坐汽车好，还是骑自行车好？

7. 准备干什么

8. 你准备干什么？

9. 明年你准备干什么？

10. 我的爱好特别多。

11. 我喜欢骑自行车。

12. 我喜欢骑自行车旅游。

12-2-3 三、听录音，判断 A 和 B 哪个是你听到的 ***Choose A or B according to what you hear.***

1. A. 我有几个问题。

   B. 我有一个问题。

2. A. 你喜欢做老师吗？

   B. 你喜欢张老师吗？

3. A. 汽车好，还是自行车好？

   B. 坐汽车好，还是骑自行车好？

4. A. 他不是日本人，他是韩国人。

   B. 他不是日本人，也不是韩国人。

5. A. 你明天和我们一起去旅游吧。

B. 你明天先和我们一起去旅游吧。

6. A. 我对旅游、做饭都感兴趣。

B. 我对旅游、吃饭都感兴趣。

12-2-4 四、根据课文一做下面的练习 *Do the following exercises according to Text 1.*

（一）根据课文内容，为孩子提的问题排序

Number the questions raised by the child to show the order in which they occurred according to the text.

（　　　）做医生好，还是做老师好？

（　　　）上学好，还是工作好？

（　　　）坐汽车好，还是骑自行车好？

（二）快速回答问题 *Give quick responses to the questions.*

1. 上学好，还是工作好？

2. 爸爸做什么工作？妈妈做什么工作？

3. 做医生好，还是做老师好？

4. 妈妈喜欢骑车，还是喜欢坐汽车？为什么？

5. 妈妈为什么最喜欢坐地铁？

12-2-5 五、根据课文二做下面的练习 *Do the following exercises according to Text 2.*

（一）选择正确答案 *Choose the correct answer.*

1. A. 中国人 　　　　　　　　　B. 韩国人

2. A. 王英 　　　　　　　　　　B. 林小弟

3. A. 他不知道 　　　　　　　　B. 先去旅游

（二）边听录音边填空，然后朗读 *Listen to the recording, fill in the blanks and then read aloud.*

1. 明年你们准备（　　　　　　）？工作还是上学？

2. 我想工作，（　　　　　　）干什么呢？

3. 我（　　　　　　）喜欢骑自行车旅游。

12-2-6　六、根据课文三做下面的练习　*Do the following exercises according to Text 3.*

（一）根据课文内容选择　*Choose A or B according to the text.*

A	王英	B	林小弟

1. 最喜欢骑自行车旅游　B
2. 明年还想上学　☐
3. 妈妈是老师　☐
4. 喜欢上网　☐
5. 对做饭感兴趣　☐

6. 爸爸是医生　☐
7. 喜欢喝茶　☐
8. 喜欢骑自行车　☐
9. 喜欢旅游　☐
10. 明年想工作　☐

（二）边听录音边填空，然后朗读　*Listen to the recording, fill in the blanks and then read aloud.*

1. 可是做老师需要（　　　）上学，做医生也需要（　　　）上学。

2. 明年王英（　　　）想上学。

3. 他喜欢喝茶、喜欢上网、喜欢骑自行车，他（　　　）旅游、做饭也感兴趣。

4. 王英和林小弟明天要一起去旅游，他们想（　　　）自行车去。

七、根据实际情况互相问答

Ask each other questions and give responses according to the actual situation.

1. 你明年想干什么？

2. 你对什么感兴趣？

3. 你有什么爱好？

4. 你觉得上学好，还是工作好？

5. 你觉得坐汽车好，还是骑自行车好？

13

你起床了吗
Have You Got Up

第一部分　语音
Part One　Pronunciation

13-1-1 一、仔细听，选择你听到的词语 *Listen carefully and choose the words you hear.*

lànmàn / làngmàn	bíkǒng / qìgōng	gǔlì / gūlì	hěnxīn / hǎoxīn
duìfu / tuìwǔ	guìzhòng / kuīkong	fēijī / huìqì	jièzhù / chīcù
bú huì / bú guì	zìyàng / zhìxiàng	sìyì / xīqí	kūqì / gùyì

13-1-2 二、听后填上声母 *Fill in the blanks with the correct initials according to what you hear.*

ér＿＿iě　　　　＿＿iě＿＿ué　　　　＿＿éng＿＿iù　　　　＿＿iū＿＿ǐ

＿＿àngwǔ　　　＿＿ǎn＿＿áo＿＿iú　　　＿＿àn＿＿iàn　　　　＿＿uàn＿＿i

＿＿ài＿＿ān　　　＿＿ài＿＿īn　　　　＿＿ó＿＿è　　　　＿＿ā＿＿í＿＿i

＿＿iàn＿＿ǐ＿＿í＿＿iǎn　　　　　　＿＿ān＿＿īng＿＿uǐ＿＿iù

＿＿ù＿＿è＿＿í＿＿ǐn　　　　　　　＿＿āng＿＿ìng＿＿ū＿＿iú

13-1-3 三、听后填上韵母和声调

Fill in the blanks with the correct finals and tone marks according to what you hear.

f＿＿c＿＿　　　d＿＿f＿＿　　　m＿＿q＿＿　　　p＿＿ch＿＿

zh＿＿ch＿＿　　l＿＿sh＿＿　　f＿＿z＿＿　　　z＿＿d＿＿

k＿＿d＿＿　　　j＿＿s＿＿　　　sh＿＿b＿＿　　k＿＿j＿＿j＿＿

13-1-4 四、跟我读 *Read after me.*

chuān	hòu	gàosu	hǎokàn	zhème	shūfu
bànfǎ	zěnme	tīngshuō	yìdiǎnr	yǒudiǎnr	yíhuìr

13-1-5 五、我也知道 *I know it too!*

wàzi（袜子）

kùzi（裤子）

chènshān（衬衫）

T xùshān（T 恤衫）

第二部分　课文
Part Two　Texts

13-2-1 一、跟读生词 *Read the following words after the recording.*

课文一 *Text 1*

1. 了	le	*part.*	used at the end of a sentence indicating something has happened or occurred
2. 没（有）	méi (yǒu)	*adv.*	(did) not, not yet
3. 昨天	zuótiān	*n.*	yesterday
4. 给	gěi	*prep.*	used to introduce the recipient of an action
5. 打电话	dǎ diànhuà		to make a phone call
电话	diànhuà	*n.*	telephone, phone call
6. 离	lí	*v.*	to leave, to part from
7. 要	yào	*v.*	to need, to take
8. 小时	xiǎoshí	*n.*	hour
9. 地图	dìtú	*n.*	map
10. 方便	fāngbiàn	*adj.*	convenient
11. 下	xià	*n.*	next

课文二 *Text 2*

12. 租	zū	*v.*	to rent
13. 房子	fángzi	*n.*	house, apartment

14.	可以	kěyǐ	*aux.*	may
15.	走路	zǒulù	*v.*	to walk
16.	搬（家）	bān (jiā)	*v.*	to move (home)
17.	帮	bāng	*v.*	to help
18.	上	shàng	*n.*	last
19.	已经	yǐjīng	*adv.*	already
20.	做客	zuòkè	*v.*	to be a guest

课文三 *Text 3*

21.	东西	dōngxi	*n.*	thing, stuff
22.	又	yòu	*adv.*	again
23.	光盘	guāngpán	*n.*	CD
24.	回	huí	*v.*	to return, to go or come back
25.	学校	xuéxiào	*n.*	school
26.	……的时候	……de shíhou		when
	时候	shíhou	*n.*	(a duration of) time
27.	不错	búcuò	*adj.*	not bad, pretty good

13-2-2 二、跟读短语或句子 *Read the following phrases or sentences after the recording.*

1. 给你打电话
2. 我给你打电话了。
3. 昨天，我给你打电话了。
4. 一个小时
5. 坐地铁要一个小时。
6. 从家到学校，坐地铁要一个小时。
7. 租房子
8. 我租房子了。

9. 我在那个小区租房子了。
10. 高兴事
11. 你有什么高兴事？
12. 我搬家了。
13. 我已经搬家了。
14. 上星期六，我已经搬家了。
15. 来我家做客
16. 请来我家做客。

13-2-3 **三、听录音，判断 A 和 B 哪个是你听到的** *Choose A or B according to what you hear.*

1. A. 昨天我去新商场了。
   B. 昨天我去那个新商场了。

2. A. 你们学校离你家远吗？
   B. 学校离你们家远吗？

3. A. 那儿有吃饭、喝茶的地方吗？
   B. 那儿有喝茶、吃饭的地方吗？

4. A. 上星期六我已经搬了，来我家做客吧。
   B. 我上星期六已经搬了，来我家做客吧。

5. A. 他没吃早饭就去逛商场了。
   B. 他没吃早饭就去新商场了。

6. A. 这个星期六，他又去了。
   B. 这个星期六，他就去了。

13-2-4 **四、根据课文一做下面的练习** *Do the following exercises according to Text 1.*

（一）选择正确答案 *Choose the correct answer.*

1. A. 起床　　　　　　　　　　B. 吃饭
2. A. 学校　　　　　　　　　　B. 商场
3. A. 没坐　　　　　　　　　　B. 坐了

（二）快速回答问题 *Give quick responses to the questions.*

1. 林小弟昨天去哪个商场了？

2. 商场离学校近吗？

3. 在商场，林小弟买什么了？

4. 山田佑下星期想做什么？

13-2-5 **五、根据课文二做下面的练习** *Do the following exercises according to Text 2.*

（一）选择正确答案 *Choose the correct answer.*

1. A. 前边　　　　　　　　　　B. 后边
2. A. 王英在这儿　　　　　　　B. 她喜欢这儿
3. A. 已经搬了　　　　　　　　B. 下星期六

（二）边听录音边填空，然后朗读 *Listen to the recording, fill in the blanks and then read aloud.*

1. 太（　　　　　）了！
2. 去学校坐汽车、坐地铁都行，骑自行车也（　　　　　）。
3. 走路也行，最（　　　　　）走 40 分钟。
4. 我上星期六（　　　　　）搬了，来我家做客吧。

13-2-6 六、根据课文三做下面的练习　*Do the following exercises according to Text 3.*

（一）选择正确答案　*Choose the correct answer.*

1. A. 吃早饭　　　　　　　B. 去商场

2. A. 他想买东西　　　　　B. 只想逛商场

3. A. 他喜欢的光盘　　　　B. 没买什么东西

4. A. 租房子　　　　　　　B. 看同学

（二）边听录音边填空，然后朗读　*Listen to the recording, fill in the blanks and then read aloud.*

1. 山田佑八点起床，（　　　　　　）吃早饭就去那个新商场了。

2. 这个星期六，他（　　　　　）去了。

3. 他觉得那个小区真（　　　　　），他也想在那儿租房子。

七、根据实际情况互相问答

　　Ask each other questions and give responses according to the actual situation.

1. 你最喜欢的商场在哪儿？你坐车去，还是走路去？要多长时间？

2. 你经常去商场买什么？

3. 你的学校环境怎么样？

4. 买东西的时候，你最高兴的事是什么？最不高兴的事是什么？

14 一到十一月就冷了

It Gets Cold When It Comes to November

第一部分　语音
Part One　Pronunciation

14-1-1 一、仔细听，选择你听到的词语　*Listen carefully and choose the words you hear.*

yīliàn / yìniàn　　　wánmǎn / wánměi　qìtǐ / qūtǐ　　　chídào / zhìzào

mìnglìng / míngliàng　wùbì / hūxī　　　píqi / biēqì　　zhēnzhèng / zhēnzhòng

yùqī / yìqì　　　　　shuōhuà / súhuà　jǐnliàng / qīngliáng　jìjié / qī yuè

14-1-2 二、听后填上韵母和声调

Fill in the blanks with the correct finals and tone marks according to what you hear.

w___ b___　　　　　g___'___　　　　　d___d___　　　　g___ch___

___n___　　　　　　j___x___　　　　　w___l___　　　　k___g___

p___sh___　　　　　d___l___　　　　　d___b___　　　　b___l___

z___y___　　　　　　j___z___　　　　　g___x___　　　　r___n___

y___d___x___　　　　j___b___zh___

14-1-3 三、听写拼音　*Write down the pinyin you hear.*

_____　　_____　　_____　　_____

_____　　_____　　_____　　_____

14-1-4 四、跟我读　*Read after me.*

zhù　　　　jiāo　　　　xué　　　　jìn　　　　tīng　　　　xiānsheng

huānyíng　　diànshì　　qīngchu　　zhùyì　　kāishǐ　　hùxiāng

五、我也知道 *I know it too!*

xié（鞋）

máoyī（毛衣）

qúnzi（裙子）

duǎnkù（短裤）

第二部分　课文
Part Two　Texts

14-2-1 一、跟读生词 *Read the following words after the recording.*

课文一 *Text 1*

1.	出租(车)	chūzū (chē) *n.*	taxi
2.	冷	lěng *adj.*	cold
3.	听说	tīngshuō *v.*	to hear of, to be told
4.	冬天	dōngtiān *n.*	winter
5.	一……就……	yī……jiù……	no sooner…than…, hardly… when…, as soon as
6.	穿	chuān *v.*	to wear
7.	厚	hòu *adj.*	thick
8.	衣服	yīfu *n.*	clothing, clothes
9.	告诉	gàosu *v.*	to tell
10.	毛衣	máoyī *n.*	sweater
11.	羽绒服	yǔróngfú *n.*	down jacket
12.	一点儿	yì diǎnr	a little bit
	点儿	diǎnr *m.*	a little, a bit
13.	好看	hǎokàn *adj.*	good-looking
14.	感冒	gǎnmào *v./n.*	to catch a cold; cold

15.	这么	zhème	*pron.*	so, such
16.	药	yào	*n.*	medicine
17.	看病	kànbìng	*v.*	to see a doctor
	病	bìng	*v./n.*	to get sick; illness
18.	花	huā	*v.*	to spend

课文二　**Text 2**

19.	怎么	zěnme	*pron.*	how, what, why (*used to inquire about nature, condition, cause, etc.*)
20.	舒服	shūfu	*adj.*	comfortable
21.	所以	suǒyǐ	*conj.*	therefore
22.	司机	sījī	*n.*	driver

课文三　**Text 3**

23.	牛奶	niúnǎi	*n.*	milk
24.	鸡蛋	jīdàn	*n.*	egg
25.	趟	tàng	*m.*	*used for a round trip, etc., or bus or train service*
26.	办法	bànfǎ	*n.*	way, means

14-2-2 二、跟读短语或句子　**Read the following phrases or sentences after the recording.**

1. 冬天特别冷。
2. 这儿冬天特别冷。
3. 我听说这儿冬天特别冷。
4. 我听说你感冒了。
5. 一到冬天就冷了。
6. 他一有钱就花。
7. 只穿一条裤子
8. 冬天只穿一条裤子行吗?
9. 这么多衣服

10. 冬天要穿这么多衣服?
11. 这么好看的衣服
12. 这么贵的衣服
13. 你买了这么多衣服!
14. 你怎么买了这么多衣服?
15. 这件衣服好看。
16. 这种花好看。
17. 我感冒了,不舒服。

三、听录音，判断 A 和 B 哪个是你听到的　*Choose A or B according to what you hear.*

1. A. 我听说那儿冬天特别冷。
   B. 我听说这儿冬天特别冷。

2. A. 他有了钱就花。
   B. 他一有钱就花。

3. A. 冬天要穿这么多衣服？
   B. 冬天要穿那么多衣服？

4. A. 王英很忙，不喜欢逛商场。
   B. 王英很忙，不太喜欢逛商场。

5. A. 她去超市了，因为明天早上没有早饭。
   B. 她去超市了，因为明天早上她没有早饭。

6. A. 王英一天没看书，买了三趟东西。
   B. 王英一天没有看书，买了三趟东西。

四、根据课文一做下面的练习　*Do the following exercises according to Text 1.*

（一）选择正确答案　*Choose the correct answer.*

1. A. 地铁站　　　　B. 超市
2. A. 不方便　　　　B. 不感冒
3. A. 不好看　　　　B. 不方便

（二）快速回答问题　*Give quick responses to the questions.*

1. 今天天气怎么样？

2. 什么时候就冷了？

3. 冬天要准备什么衣服？

4. 感冒以后要做什么？

14-2-5 五、根据课文二做下面的练习　*Do the following exercises according to Text 2.*

（一）选择正确答案　*Choose the correct answer.*

1. A.
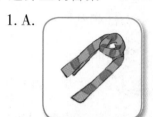

B.

2. A. 衣服便宜　　　　　　　　B. 冬天太冷

3. A. 不感冒　　　　　　　　　B. 不舒服

（二）边听录音边填空，然后朗读　*Listen to the recording, fill in the blanks and then read aloud.*

1. 你（　　　　　）买了这么多衣服？

2. 我买了一（　　　　　）羽绒服、两（　　　　　）毛衣、两（　　　　　）厚裤子。

3. 是不是（　　　　　）便宜啊？

4. 这儿（　　　　　）十一月就冷了，只穿一条裤子一定（　　　　　）。

14-2-6 六、根据课文三做下面的练习　*Do the following exercises according to Text 3.*

（一）选择正确答案　*Choose the correct answer.*

1. A.

B.

C.

D.

E.

2. A.

B.

C.

D.

3. A. 　　B. 　　C. 　　D.

（二）快速回答问题　*Give quick responses to the questions.*

1. 王英为什么去买衣服？

2. 下午她为什么又去了超市？

3. 下午她又买羽绒服了吗？

4. 王英为什么一天都没有看书？

七、根据实际情况互相问答

Ask each other questions and give responses according to the actual situation.

1. 你喜欢冬天吗？为什么？

2. 你觉得课文中出租车司机说得对吗？为什么？

3. "冬天不多穿衣服，好看，但是会感冒" 和 "冬天穿很多衣服，不好看，但是不会感冒"，你会怎么做？为什么？

15

我可以进来吗
May I Come In

第一部分　语音
Part One　Pronunciation

15-1-1 一、仔细听，选择你听到的音节 *Listen carefully and choose the syllables you hear.*

jiàn / qián / lián	jiù / xiū / niú	cuò / zuò / huò
duì / huì / guì	nǚ / lǜ / jù	què / xué / jué
zé / cè / zhè	kuài / huài / shuāi	mǎi / nài / tài
bǎi / pài / hài	nuǎn / huàn / zhuǎn	tǎng / dāng / láng

15-1-2 二、仔细听，选择你听到的词语 *Listen carefully and choose the words and expressions you hear.*

gāngcái / kāngkǎi / hángxíng	kèduì / kōngdòng / gèwèi
zuótiān / cúnzài / zuòwèi	xuǎnzé / quán jiā / quànjià
xiūxián / qùnián / juānkuǎn	shǒuxù / xiūxi / xìngqù
qíngkuàng / jǐngxiàng / jǐnliàng	lǚxíng / yǔjìng / nǔlì
nánguā / lánhuā / liánhuā	àihù / ài kū / wàichū
suǒyǐrán / suí fēng dǎo / jíjié hào	dǎ hūlu / bú ài kū / shèngdànshù

15-1-3 三、听后标出声调 *Add tone marks to the pinyin according to what you hear.*

fenkai	tanxin	piping	kexue	feifa	ganxi	jianding	pianxiang
yuanyin	qiuxing	fuchi	wuliao	hehuo	nandian	zhiye	xingdong
binggan	qifei	laoren	fouze	shenmei	haobi	qiye	xi'ai
fudan	nianshu	shishi	liru	zuozhe	qiahao	xiandai	fuyin

15-1-4 四、听后填空，然后朗读 *Fill in the blanks according to what you hear and then read aloud.*

1. Wǒ (kěyǐ) jìnlai ma?

2. (　　　　) nín, wǒ hěn gāoxìng.

3. Nín kěyǐ (　　　　) shuō yí biàn ma?

4. Shēngyīn xiǎo (　　　　), kěyǐ ma?

78

5. Wǒ kéyǐ（　　　　）nín tǎolùn ge wèntí ma?

6. Wǒ duì huánbǎo hěn（　　　　）.

五、跟我读　*Read after me.*

sòng	ná	gěi	jì	zhīdao	yíyàng
zhòngyào	yīnggāi	máfan	shuǐguǒ	fāngfǎ	méi guānxi

六、我也知道　*I know it too!*

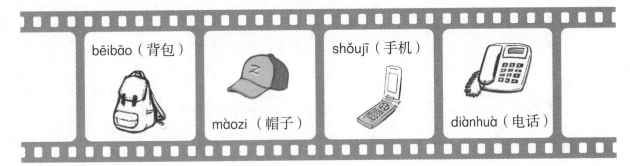

bēibāo（背包）　màozi（帽子）　shǒujī（手机）　diànhuà（电话）

第二部分　课文
Part Two　Texts

一、跟读生词　*Read the following words after the recording.*

课文一　Text 1

1.	进来	jìnlai	v.	to come in
2.	坐	zuò	v.	to sit
3.	住	zhù	v.	to live in
4.	欢迎	huānyíng	v.	to welcome
5.	刚	gāng	adv.	just
6.	先生	xiānsheng	n.	Mr.
7.	电视	diànshì	n.	television
8.	声（音）	shēng (yīn)	n.	sound, voice
9.	小	xiǎo	adj.	small
10.	听	tīng	v.	to hear, to listen
11.	清（楚）	qīng (chu)	adj.	clear

| 12. | 抱歉 | bàoqiàn | *adj.* | sorry |
| 13. | 注意 | zhùyì | *v.* | to pay attention to, to be careful about |

课文二 *Text 2*

14.	能	néng	*aux.*	can, to be able to
15.	开	kāi	*v.*	to turn on
16.	开始	kāishǐ	*v.*	to begin
17.	岁	suì	*m.*	year (of age)
18.	学	xué	*v.*	to study
19.	读	dú	*v.*	to attend (school)
20.	研究生	yánjiūshēng	*n.*	graduate student, postgraduate

课文三 *Text 3*

21.	孩子	háizi	*n.*	child
22.	互相	hùxiāng	*adv.*	each other, mutually
23.	教	jiāo	*v.*	to teach

15-2-2 **二、跟读专名** ***Read the following proper nouns after the recording.***

1.	赵一民	Zhào Yīmín	Zhao Yimin (a Chinese name)
2.	赵月	Zhào Yuè	Zhao Yue (a Chinese name)
3.	英语	Yīngyǔ	English (language)
4.	日语	Rìyǔ	Japanese (language)

15-2-3 **三、跟读短语或句子** ***Read the following phrases or sentences after the recording.***

1. 可以进来吗?
2. 我住502。
3. 认识您，我很高兴。
4. 声音小一点儿，可以吗?
5. 电视声音小一点儿，可以吗?
6. 我没听清楚。
7. 您可以再说一遍吗?
8. 电视声音太大。

9. 我以后一定注意。
10. 和您讨论个问题
11. 我能和您讨论个问题吗?
12. 开始找工作
13. 同学都开始找工作了。
14. 我对环保最感兴趣。
15. 读研究生
16. 能去你们学校读研究生吗?

15-2-4 四、听录音，判断 A 和 B 哪个是你听到的 *Choose A or B according to what you hear.*

1. A. 电视声音小一点儿，可以吗？
   B. 电视小一点儿声音，可以吗？

2. A. 看到您，我很高兴。
   B. 认识您，我很高兴。

3. A. 您的电视声音太大。
   B. 你的电视声音太大。

4. A. 现在我对环保最感兴趣。
   B. 现在我对环保很感兴趣。

5. A. 能读日本的研究生吗？
   B. 能去日本读研究生吗？

6. A. 以后可以不可以互相学习？
   B. 以后可不可以互相学习？

15-2-5 五、根据课文一做下面的练习 *Do the following exercises according to Text 1.*

（一）选择正确答案 *Choose the correct answer.*

1. A. 山田佑　　　　　　　　B. 赵一民
2. A. 他昨天搬来的　　　　　B. 电视声音太大
3. A. 我的电视声音不大　　　B. 我以后一定注意

（二）边听录音边填空，然后朗读 *Listen to the recording, fill in the blanks and then read aloud.*

1.（　　　　　　）搬来吧？

2. 您晚上看电视，声音小一点儿，（　　　　　　）吗？

3. 你可以再说一遍吗？我没（　　　　　　）清楚。

4. 我以后一定（　　　　　　），再看电视声音小一点儿。

15-2-6 六、根据课文二做下面的练习 *Do the following exercises according to Text 2.*

（一）选择正确答案 *Choose the correct answer.*

1. A. 不要再看电视了　　　　B. 电视声音小一点儿
2. A. 喜欢什么工作　　　　　B. 想做什么工作
3. A. 英语　　　　　　　　　B. 环保
4. A. 英语老师　　　　　　　B. 环保工作

（二）快速回答问题 *Give quick responses to the questions.*

1. 赵月大学几年级了？

2. 同学们开始干什么？

3. 赵月五岁想干什么？十五岁想干什么？

4. 赵月大学为什么学英语？

5. 赵月现在的兴趣是什么？

6. 爸爸想了个什么办法？

15-2-7 七、根据课文三做下面的练习　*Do the following exercises according to Text 3.*

（一）根据课文连线　*Do the matching exercise according to the text.*

山田佑	赵一民的孩子
赵月	想做司机
现在赵月	对环保最感兴趣
赵月是	住 502
赵月五岁	学的是英语
赵月十五岁	住 504
赵月十八岁	想做老师
赵月大学	想做医生

（二）快速回答问题　*Give quick responses to the questions.*

1. 赵月问山田佑什么？

2. 山田佑怎么回答？

3. 赵月想和山田佑怎么互相学习？

八、根据实际情况互相问答

Ask each other questions and give responses according to the actual situation.

1. 你小的时候，最想干什么工作？

2. 你现在最想干什么工作？

3. 你有互相学习的朋友吗？说一下你们的学习方法。

16

为什么给我礼物
Why Did You Give Me a Present

第一部分　语音
Part One　Pronunciation

16-1-1 一、仔细听，选择你听到的音节　*Listen carefully and choose the syllables you hear.*

quán / qián / qiáng　　　　lùn / lèi / liè　　　　nín / níng / néng

tóng / tīng / téng　　　　huà / hā / hòu　　　　chuān / chuī / chūn

wén / wèi / wài　　　　xǔ / xuǎn / xūn　　　　nǚ / nǔ / nèn

shǎo / shòu / shuā　　　　yǒu / yún / yòng　　　　quàn / qiū / qiě

16-1-2 二、仔细听，选择你听到的词语　*Listen carefully and choose the words you hear.*

ānníng / ānyíng / ànqíng　　　　bèihòu / bēnzǒu / péngyou

kèqi / kěqì / héqi　　　　mǔyǔ / mùdì / mǔqīn

dāngshí / dāngrì / díshì　　　　jīngxì / jīnxī / jīngxǐ

fǎnhuán / fǎnhuí / fángwěi　　　　jīngxīn / jìnxīn / jìnxìng

fā lèng / fǎlìng / huáliu　　　　huǒchē / huǒguō / huòchē

shíyàn / shíjiān / shíjiàn　　　　qīngchén / qīngchu / xīnshǎng

16-1-3 三、听后填上声母、韵母和声调

Fill in the blanks with the correct initials or the finals and tone marks according to what you hear.

q____zh____　　____éiyǎng　　____ùg____　　k____wèi

____īng____ǎi　　j____liú　　____ī____ì　　____jí

h____j____　　b____b____　　m____y____　　____ěbude

16-1-4 四、跟我读　*Read after me.*

tāng　　cuò　　kāi　　zuìjìn　　yǐqián　　zánmen

rènao　　nǔlì　　xīwàng　　xíguàn　　jùhuì　　jiǎozi

16-1-5 五、我也知道 *I know it too!*

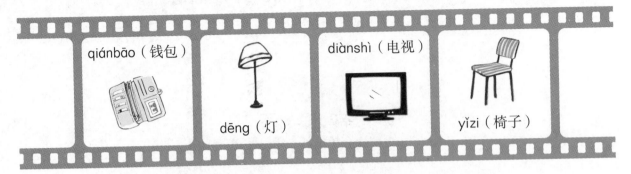

qiánbāo（钱包）

dēng（灯）

diànshì（电视）

yǐzi（椅子）

第二部分　课文
Part Two　Texts

16-2-1 一、跟读生词 *Read the following words after the recording.*

课文一 *Text 1*

1.	送	sòng	*v.*	to give, to offer
2.	礼物	lǐwù	*n.*	gift, present
3.	给	gěi	*v.*	to give
4.	方法	fāngfǎ	*n.*	method, way
5.	音乐	yīnyuè	*n.*	music
6.	知道	zhīdao	*v.*	to know
7.	寄	jì	*v.*	to post, to mail
8.	麻烦	máfan	*adj.*	troublesome
9.	不用	bú yòng		no need to, to be unnecessary
	用	yòng	*v.*	to need
10.	没关系	méi guānxi		doesn't matter, don't worry

课文二 *Text 2*

11.	带	dài	*v.*	to take, to bring
12.	水果	shuǐguǒ	*n.*	fruit
13.	酒	jiǔ	*n.*	wine, liquor

14.	一般	yìbān	*adj.*	general, ordinary
15.	节（日）	jié (rì)	*n.*	holiday, festival
16.	亲戚	qīnqi	*n.*	relative
17.	拿	ná	*v.*	to take, to bring
18.	亲切	qīnqiè	*adj.*	cordial, kind
19.	一样	yíyàng	*adj.*	same
20.	这样	zhèyàng	*pron.*	such, like this

课文三 *Text 3*

21.	邮局	yóujú	*n.*	post office
22.	结婚	jiéhūn	*v.*	to marry, to get married
23.	应该	yīnggāi	*aux.*	should, ought to
	该	gāi	*aux.*	should, ought to
24.	重要	zhòngyào	*adj.*	important

16-2-2 二、跟读短语或句子 *Read the following phrases or sentences after the recording.*

1. 给我礼物
2. 给谁的礼物
3. 这是给谁的礼物?
4. 送礼物
5. 送什么礼物
6. 送朋友什么礼物?
7. 教汉语
8. 他教我汉语。
9. 告诉我方法

10. 他告诉我一个好方法。
11. 他喜欢音乐。
12. 我知道他喜欢音乐。
13. 买光盘
14. 可以买到这种光盘。
15. 哪儿可以买到这种光盘?
16. 带礼物
17. 寄礼物
18. 从邮局寄礼物

16-2-3　三、听录音，判断 A 和 B 哪个是你听到的　*Choose A or B according to what you hear.*

1. A. 哪儿可以买到这种光盘？
   B. 那儿可以买到这种光盘。

2. A. 这是给谁的礼物？
   B. 这是送谁的礼物？

3. A. 我想送给他一本书。
   B. 我想送他一本书。

4. A. 我请朋友帮你买吧。
   B. 请我朋友帮你买吧。

5. A. 这样的礼物还是不一样。
   B. 这样的礼物就是不一样。

6. A. 他觉得坐车带东西很麻烦。
   B. 他知道坐车带东西很麻烦。

16-2-4　四、根据课文一做下面的练习　*Do the following exercises according to Text 1.*

（一）选择正确答案　*Choose the correct answer.*

1. A. 他们认识一个月了　　　　B. 赵月是个好老师
2. A. 山田佑是个好老师　　　　B. 山田佑给她一张光盘
3. A. 赵月　　　　　　　　　　B. 山田佑
4. A. 赵月　　　　　　　　　　B. 山田佑

（二）快速回答问题　*Give quick responses to the questions.*

1. 山田佑和赵月互相学习多长时间了？

2. 山田佑送赵月的光盘内容是什么？是在哪儿买的？

3. 赵月为什么还想买一张山田佑送的光盘？

16-2-5　五、根据课文二做下面的练习　*Do the following exercises according to Text 2.*

（一）选择正确答案　*Choose the correct answer.*

1. A. 为什么有人带很多东西坐车　　　B. 为什么公共汽车带很多东西
2. A. 亲戚、朋友家　　　　　　　　　B. 去旅游
3. A. 不带　　　　　　　　　　　　　B. 也带
4. A. 寄礼物好　　　　　　　　　　　B. 带礼物好

（二）快速回答问题　*Give quick responses to the questions.*

1. 坐车的人带的什么东西？

2. 什么时候带东西的人多？

3. 中国人带东西去干什么？

4. 日本人送朋友的东西也是自己带吗？他们怎么办？

5. 中国人为什么不寄礼物？

16-2-6 六、根据课文三做下面的练习 *Do the following exercises according to Text 3.*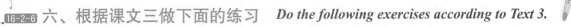

（一）根据课文连线 *Do the matching exercise according to the text.*

山田佑和赵月	要结婚
赵月	觉得坐车带东西麻烦
山田佑	送什么礼物不是最重要的
中国人	还教山田佑学习方法
日本人	喜欢带礼物去看朋友
山田佑的朋友	都是好老师，也都是好学生
赵月说	喜欢音乐

（二）快速回答问题 *Give quick responses to the questions.*

1. 谁要结婚？

2. 赵月说，朋友结婚的时候应该怎么办？

七、说一说 *Give a talk.*

1. 在你们国家，过节的时候去亲戚、朋友家吗？给亲戚、朋友送礼物吗？怎么送？

2. 在你们国家，亲戚、朋友结婚的时候送礼物吗？一般送什么礼物？

你汉语这么好
Your Chinese Is So Good

第一部分　语音
Part One　Pronunciation

🎧 17-1-1 一、仔细听，选择你听到的音节　*Listen carefully and choose the syllables you hear.*

quán / nuǎn / chuǎn	hē / kě / è	rì / lì / nǐ
píng / jīng / qǐng	dǐng / tíng / bìng	dà / tā / nà
niē / bié / liè	kǒu / gòu / hòu	bǐ / pī / jǐ
qù / xǔ / yú	luàn / ruǎn / guān	fó / mō / bō

🎧 17-1-2 二、仔细听，选择你听到的词语　*Listen carefully and choose the words you hear.*

qíshí / jíshí / qíshì	Fújiàn / húluàn / fùjiàn
fēncān / fēncùn / fēnghuì	jígé / jǐ ge / xīkè
kěxī / kěxǐ / kèqi	jīngyàn / jīnnián / jīngxiǎn
zhèli / nàli / zhélǐ	liǎojiě / jiǎojié / liánjiē
guóqí / guòqī / kuòqi	háohuá / qiāodǎ / hǎohuà
zǐxì / zìxí / sījī	zhǐyào / zhǐyǒu / zìyóu

🎧 17-1-3 三、听写拼音　*Write down the pinyin you hear.*

_____　_____　_____　_____

_____　_____　_____　_____

🎧 17-1-4 四、跟我读　*Read after me.*

kǎ	chá	qǔ	wàng	tián	diū
biǎo	guàshī	hùzhào	mǎshàng	mìmǎ	zháojí

🎧 17-1-5 五、我也知道 *I know it too!* ✏

shànzi（扇子）

kōngtiáo（空调）

diànchí（电池）

zìxíngchē（自行车）

第二部分　课文
Part Two　Texts

🎧 17-2-1 一、跟读生词 *Read the following words after the recording.* ✏

课文一　*Text 1*

1.	才	cái	*adv.*	not until, only (*indicating no earlier than a particular time*)
2.	最近	zuìjìn	*n.*	recently
3.	位	wèi	*m.*	*used to refer to people*
4.	以前	yǐqián	*n.*	before, ago
5.	咱们	zánmen	*pron.*	we, us
6.	包	bāo	*v.*	to make (*jiaozi* or stuffed buns), to wrap
7.	饺子	jiǎozi	*n.*	*jiaozi*, dumpling
8.	会	huì	*aux.*	can, to be able to

课文二　*Text 2*

9.	汤	tāng	*n.*	soup
10.	热闹	rènao	*adj.*	lively, busy, excited
11.	别的	biéde	*pron.*	other
12.	努力	nǔlì	*v./adj.*	to try hard; hard-working
13.	希望	xīwàng	*v.*	to hope
14.	次	cì	*m.*	time, occurrence

15.	读	dú	*v.*	to read aloud, to read
16.	写	xiě	*v.*	to write
17.	错	cuò	*adj.*	wrong
18.	第	dì	*pref.*	marker of ordinal numbers
19.	别	bié	*adv.*	don't

课文三　*Text 3*

20.	开	kāi	*v.*	to hold (a meeting, an exhibition, etc.)
21.	晚会	wǎnhuì	*n.*	evening party
22.	请	qǐng	*v.*	to invite
23.	聚会	jùhuì	*v.*	to get together
24.	习惯	xíguàn	*v./n.*	to be used to; habit
25.	进步	jìnbù	*v.*	to progress, to move forward

17-2-2　二、跟读短语或句子　***Read the following phrases or sentences after the recording.***

1. 介绍一下
2. 我来介绍一下。
3. 我们两个人
4. 我们两个人住一个楼。
5. 会包饺子
6. 中国人不会包饺子？
7. 更热闹
8. 人再多一点儿，就更热闹了。

9. 努力多说
10. 学汉语要努力多说。
11. 经常说错
12. 第一是说对，第二是多说。
13. 别的好方法
14. 还有别的好方法吗？
15. 进步很快
16. 他进步很快。

17-2-3　三、听录音，判断 A 和 B 哪个是你听到的　***Choose A or B according to what you hear.***

1. A. 你汉语这么好。
   B. 你的汉语这么好。

2. A. 认识你很高兴。
   B. 认识您很高兴。

3. A. 饺子好了，吃饭吧。
   B. 饺子好了，吃饭了。

4. A. 他习惯日本的饺子，也喜欢中国的饺子。
   B. 他喜欢日本的饺子，也喜欢中国的饺子。

5. A. 我在那个小区租了房子。
   B. 我在他们小区租了房子。

6. A. 每次读十五分钟，一天读两次。
   B. 每天读十五分钟，一天读两次。

四、根据课文一做下面的练习 *Do the following exercises according to Text 1.*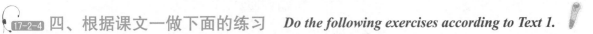

（一）选择正确答案 *Choose the correct answer.*

1. A. 山田佑和赵月   B. 李美丽
2. A. 赵月   B. 山田佑
3. A. 李美丽和赵月   B. 王英和赵月
4. A. 不应该   B. 应该

（二）快速回答问题 *Give quick responses to the questions.*

1. 山田佑是怎么介绍赵月的？

2. 李美丽知道了什么？

3. 林小弟是怎么介绍自己的？

五、根据课文二做下面的练习 *Do the following exercises according to Text 2.*

（一）选择正确答案 *Choose the correct answer.*

1. A. 人太少   B. 人不少
2. A. 还吃饺子   B. 更热闹
3. A. 多说   B. 说对
4. A. 每天读课文   B. 找个好老师

（二）快速回答问题 *Give quick responses to the questions.*

1. 山田佑是怎么学习汉语的？

2. 李美丽说汉语的时候，经常有什么问题？

3. 山田佑觉得说汉语应该注意什么？

4. 山田佑每天怎么读课文？

17-2-6 六、根据课文三做下面的练习　*Do the following exercises according to Text 3.*

（一）选择正确答案　*Choose the correct answer.*

1. A. 王英请来很多客人　　　　B. 他们聚会特别方便

2. A. 不漂亮　　　　　　　　　B. 不好吃

3. A. 只有日本人喜欢　　　　　B. 和中国的饺子不一样

（二）边听录音边填空，然后朗读　*Listen to the recording, fill in the blanks and then read aloud.*

1. 今天王英家特别热闹。王英（　　　　）了一个晚会。

2. 他（　　　　）日本的饺子，也（　　　　）中国的饺子。

3. 林小弟、王英和赵月都是大学四年级的学生，林小弟已经开始（　　　　）了。

4.（　　　　），山田佑汉语进步很快，他觉得学习要有好（　　　　）。

七、根据实际情况互相问答

　　Ask each other questions and give responses according to the actual situation.

1. 你学习汉语的方法是什么？

2. 你认为什么方法最好？

3. 你有中国朋友吗？你经常和中国朋友一起做什么？

18

我的银行卡丢了
I Lost My Bank Card

第一部分　语音
Part One　Pronunciation

18-1-1 一、仔细听，选择你听到的词语 *Listen carefully and choose the words and expressions you hear.*

zhūpái / cūshuài / zhúpái

fēnbiàn / fēnbié / fēnbù

gānjìng / gāngqín / gānjiǔ

wúbǐ / wùbì / wúyí

bìngrén / bìnglì / piányi

gòumǎilì / kǒushuǐjī / qiǎokèlì

yǐxià / yíxià / yìxià

lǎoshī / lǎoshi / lǎoshì

gǎiháng / kāiháng / gǎihuàn

yǔyǐ / yǔyī / Yīngyǔ

hǎobǐ / hébì / hǎoyì

lǎodànán / bówùguǎn / Shànghǎitān

18-1-2 二、听后标出声调 *Add tone marks to the pinyin according to what you hear.*

bu chi　　　　bu ting　　　　bu na　　　　bu lai

bu zou　　　　bu yuan　　　　bu kan　　　　bu gui

yi tian　　　　yi jin　　　　yi nian　　　　yi tiao

yidianr　　　　yi ben　　　　yi jian　　　　yi ge

18-1-3 三、听后填出声母、韵母和声调

Fill in the blanks with the correct initials or the finals and tone marks according to what you hear.

fāx____　　fāx____　　b____m____　　b____m____　　jùb____　　　　júm____

róur____　　róur____　　shòuz____　　shòuz____　　dǎ____āoh____　　q____bu____ǐ

18-1-4 四、听后填空，然后朗读 *Fill in the blanks according to what you hear and then read aloud.*

1. (　　　　　) hùzhào le ma?

2. Qǐng nín (　　　　　) zhāng biǎo.

3. Wǒ de yínháng kǎ (　　　　　) wàng le , (　　　　) ?

4. Wǒ de yínháng kǎ (　　　　) le, shì bu shì yào (　　　　) ?

5. Zhōngwǔ (　　　　), yínháng de rén huì shǎo yìdiǎnr.

18-1-5 五、听写拼音 *Write down the pinyin you hear.*

_____ _____ _____

_____ _____ _____

18-1-6 六、我也知道 *I know it too!*

diànnǎo（电脑）

shǔbiāo（鼠标）

yǎnjìng（眼镜）

jiàoshì（教室）

第二部分　课文
Part Two　Texts

18-2-1 一、跟读生词 *Read the following words after the recording.*

课文一　*Text 1*

1.	卡	kǎ	*n.*	card
2.	丢	diū	*v.*	to lose
3.	挂失	guàshī	*v.*	to report or declare the loss of sth.
4.	填	tián	*v.*	to fill in
5.	表	biǎo	*n.*	form, table
6.	护照	hùzhào	*n.*	passport
7.	查	chá	*v.*	to check
8.	上	shang	*n.*	in, on
9.	万	wàn	*num.*	ten thousand
10.	多	duō	*num.*	more, over
11.	稍	shāo	*adv.*	a bit, a little
12.	马上	mǎshàng	*adv.*	right away, immediately
13.	取	qǔ	*v.*	to withdraw, to draw

课文二 *Text 2*

14.	意见	yìjiàn	*n.*	complaint
15.	慢	màn	*adj.*	slow
16.	一些	yì xiē		some, certain
	些	xiē	*m.*	a few, some (*used to indicate an indefinite quantity*)
17.	常	cháng	*adv.*	often
18.	网上	wǎng shang		on the Internet, online
	网	wǎng	*n.*	Internet
19.	大家	dàjiā	*pron.*	all, everybody
20.	长	cháng	*adj.*	long
21.	密码	mìmǎ	*n.*	password
22.	忘	wàng	*v.*	to forget
23.	办	bàn	*v.*	to do
24.	跟	gēn	*prep.*	as, like (*used as a preposition to show comparison*)
25.	中午	zhōngwǔ	*n.*	noon

课文三 *Text 3*

| 26. | 着急 | zháojí | *adj.* | anxious, worried |

18-2-2 二、跟读短语或句子 *Read the following phrases or sentences after the recording.*

1. 银行卡
2. 银行卡丢了
3. 我的银行卡丢了。
4. 银行卡丢了，是不是要挂失?
5. 请稍等。
6. 取钱
7. 去银行取钱
8. 一个多小时

9. 等了一个多小时。
10. 我等了一个多小时。
11. 真抱歉
12. 密码忘了
13. 银行卡的密码忘了
14. 我银行卡的密码忘了。
15. 网上挂失
16. 不可以网上挂失

18-2-3 三、听录音，判断 A 和 B 哪个是你听到的 *Choose A or B according to what you hear.*

1. A. 忘了密码也要挂失。
   B. 忘了密码就要挂失。

2. A. 网上挂失现在还不行。
   B. 现在网上挂失还不行。

3. A. 大家就不用等特别长时间了。
   B. 大家就不用等这么长时间了。

4. A. 为什么不可以在网上挂失呢？
   B. 为什么可以在网上挂失呢？

5. A. 跟我一样，也要等一个多小时？
   B. 和我一样，也要等好几个小时？

6. A. 银行的人说，李美丽的汉语经常错。
   B. 银行的人说，李美丽的汉语真不错。

18-2-4 四、根据课文一做下面的练习 *Do the following exercises according to Text 1.*

（一）选择正确答案 *Choose the correct answer.*

1. A. 表　　　　　　　　B. 护照
2. A. 还在　　　　　　　B. 不在了
3. A. 取钱　　　　　　　B. 办新卡

（二）边听录音边填空，然后朗读 *Listen to the recording, fill in the blanks and then read aloud.*

1. 我的银行卡丢了，（　　　　　）要挂失？
2. 请您（　　　　）张表。（　　　　）护照了吗？
3. 您（　　　　），新卡马上就好。
4. 您（　　　　）就可以取钱。

18-2-5 五、根据课文二做下面的练习 *Do the following exercises according to Text 2.*

（一）选择正确答案 *Choose the correct answer.*

1. A. 等的时间太长　　　　B. 网上银行不好
2. A. 在网上挂失　　　　　B. 来银行挂失
3. A. 中午　　　　　　　　B. 不知道

（二）边听录音边填空，然后朗读 *Listen to the recording, fill in the blanks and then read aloud.*

1. 为什么不可以（　　　　　）网上挂失呢？
2. 有些事在网上做了，来银行的人就（　　　　　）了，大家就不用等（　　　　　）长时间了。
3. 真是抱歉，网上挂失（　　　　）还不行。

六、根据课文三做下面的练习　*Do the following exercises according to Text 3.*

（一）选择正确答案　*Choose the correct answer.*

1. A. 上网　　　　　B. 去银行

2. A. 李美丽　　　　B. 李美丽的朋友

3. A. 刚来半年　　　B. 汉语不错

（二）快速回答问题　*Give quick responses to the questions.*

1. 李美丽在银行等了多长时间？

2. 李美丽的朋友为什么着急？

3. 现在可以在网上挂失吗？

4. 李美丽为什么高兴？

七、根据实际情况互相问答

Ask each other questions and give responses according to the actual situation.

1. 你的卡多吗？都有什么卡？

2. 你最喜欢用什么卡？为什么？

19

电脑修好了
The Computer Has Been Fixed Up

第一部分　语音
Part One　Pronunciation

19-1-1 **一、仔细听，选择你听到的词语** *Listen carefully and choose the words and expressions you hear.*

zhèngzhí / chéngzhì / chěngzhì　　　　bāngshǒu / piànzǒu / píròu

fáng'ài / pòhuài / fànhuài　　　　　　qíyú / jīyù / qíyù

dīgū / tìbǔ / dígu　　　　　　　　　　bìxū / bǐyù / bǐlì

rènyì / lěijī / lěngyù　　　　　　　　kuānchang / kuānchuo / huānchàng

huìlù / huíluò / gěi wǒ　　　　　　　gōngshì / gòngshí / gōngsī

dàqiántiān / dàhòutiān / dàbàntiān　　fúwùyuán / fúwùyè / Fùhuó Jié

19-1-2 **二、听后标出声调** *Add tone marks to the pinyin according to what you hear.*

zaodian	lüguan	xuanju	jianchan	yuangu	qingjian
mianqiang	qushe	xianyan	jiashi	kujiu	yougan
lingqu	qidian	xishou	jiaozhi	jinzao	lijie
niuzhuan	ji dian	zhanguan	jiangpin	jieke	gei ni

19-1-3 **三、听后填空，然后朗读** *Fill in the blanks according to what you hear and then read aloud.*

1.（　　　　　）shàng wǎng chá yi chá.

2. Wǒ zuìjìn jīngcháng（　　　　　）biéren de yóujiàn.

3. Wǒ（　　　　　）yǒu rén shàngwǎng, néng chádào yìxiē bànfǎ.

4. Tā zài（　　　　　）hé xiū diànnǎo de rén liáotiānr.

5. Wǒ jīntiān, míngtiān dōu méiyǒu shíjiān, zhǐnéng（　　　　　）qù le.

19-1-4 **四、听写拼音** *Write down the pinyin you hear.*

_____　_____　_____　_____

_____　_____　_____　_____

19-1-5 五、我也知道 *I know it too!*

qiúpāi（球拍）

gāo'ěrfū（高尔夫）

lājīxiāng（垃圾箱）

gōnggòng wèishēngjiān
（公共卫生间）

第二部分　课文
Part Two　　Texts

19-2-1 一、跟读生词 *Read the following words after the recording.*

课文一 *Text 1*

1.	修	xiū	*v.*	to repair
2.	电脑	diànnǎo	*n.*	computer
3.	坏	huài	*v.*	to break down
4.	试	shì	*v.*	to try
5.	收	shōu	*v.*	to receive
6.	别人	biéren	*pron.*	other people
7.	邮件	yóujiàn	*n.*	e-mail, mail
8.	发	fā	*v.*	to send, to send out
9.	看见	kànjiàn	*v.*	to see

课文二 *Text 2*

10.	劳驾	láojià	*v.*	excuse me
11.	完	wán	*v.*	to finish
12.	得	děi	*aux.*	to need, to take
13.	多长	duō cháng		how long
14.	快	kuài	*adv.*	soon, before long, quickly

15.	那么	nàme	*pron.*	so, such
16.	当	dāng	*v.*	to work as, to serve or act as
17.	愿意	yuànyì	*aux.*	to be willing to

课文三　Text 3

18.	以为	yǐwéi	*v.*	to think, to believe, to consider
19.	宿舍	sùshè	*n.*	dormitory
20.	办公室	bàngōngshì	*n.*	office
21.	只好	zhǐhǎo	*adv.*	have to, to have no choice but
22.	医院	yīyuàn	*n.*	hospital
23.	过	guò	*v.*	to celebrate (a festival, birthday, new year, etc.)
24.	讲	jiǎng	*v.*	to tell, to say
25.	有意思	yǒu yìsi		interesting
26.	当然	dāngrán	*adv.*	certainly, of course
27.	交	jiāo	*v.*	to pay

19-2-2　二、跟读短语或句子　*Read the following phrases or sentences after the recording.*

1. 电脑坏了
2. 我的电脑坏了。
3. 修好
4. 能不能修好
5. 我也不知道能不能修好。
6. 多长时间？
7. 还得多长时间？
8. 当老师

9. 当汉语老师
10. 逛超市
11. 再逛一遍超市
12. 很有意思
13. 那个人很有意思。
14. 那个修电脑的人很有意思。
15. 帮我看看。
16. 我的电脑坏了，你帮我看看。

19-2-3　三、听录音，判断 A 和 B 哪个是你听到的　*Choose A or B according to what you hear.*

1. A. 我的电脑坏了。
　 B. 我电脑坏了。

2. A. 我不知道能不能修好。
　 B. 我也不知道能不能修好。

3. A. 那个修电脑的人没有意思。

   B. 那个修电脑的人很有意思。

4. A. 我看见有人上网，能查到一些办法。

   B. 我看有人在网上，也查到一些办法。

5. A. 我现在修的就是您的，还没修完。

   B. 我现在就是要修您的，还没修完。

6. A. 我跟您学修电脑吧，还能跟您学汉语。

   B. 我跟你学修电脑吧，还能跟你说汉语。

19-2-4 **四、根据课文一做下面的练习** *Do the following exercises according to Text 1.*

（一）选择正确答案 *Choose the correct answer.*

1. A. 不能上网   B. 不能收、发邮件

2. A. 没修好   B. 修好了

（二）判断正误 *Decide if the following statements are true or false.*

1. 林小弟告诉李美丽，他会修电脑。   （   ）

2. 林小弟上网查到一些修电脑的方法。   （   ）

3. 李美丽明天可以去修电脑。   （   ）

19-2-5 **五、根据课文二做下面的练习** *Do the following exercises according to Text 2.*

（一）选择正确答案 *Choose the correct answer.*

1. A. 还没修好   B. 修好了

2. A. 书店   B. 超市

（二）边听录音边填空，然后朗读 *Listen to the recording, fill in the blanks and then read aloud.*

1. （   ），我的电脑修好了吗？

2. 我现在修的就是您的，还没修（   ）。

3. 能（   ）一次汉语老师也不错。

4. 您（   ）在这儿，我没意见。

19-2-6 **六、根据课文三做下面的练习** *Do the following exercises according to Text 3.*

（一）选择正确答案 *Choose the correct answer.*

1. A. 不能上网了   B. 不能工作了

2. A. 上网的人太多   B. 电脑坏了

3. A. 老师的办公室   B. 修电脑的地方

4. A. 没花钱   B. 花钱了

（二）快速回答问题　*Give quick responses to the questions.*

1. 赵月的电脑在图书馆能上网吗？

2. 赵月的电脑在老师的办公室能上网吗？

3. 赵月带电脑去哪儿了？

4. 李美丽和修电脑的人聊什么了？

5. 修电脑的人为什么说不要钱了？

七、说一说　*Give a talk.*

1. 你经常用电脑吗？你用电脑干什么？

2. 说一说你们国家的学校。

3. 说一说你们国家的习惯。

4. 说一说你们国家怎么过节。

20 关上窗户吧
Close the Window Please

第一部分　语音
Part One　Pronunciation

20-1-1 一、仔细听，选择你听到的词语 *Listen carefully and choose the words and expressions you hear.*

gàosu / gāosù / kòuchú　　　　　lìqi / líqí / jùlí

jiǎxiàng / xiàngyàng / jiāxiāng　　fēiděi / fēidàn / fèidiàn

rènwéi / rénwéi / lèituī　　　　　gūdān / gǔdao / kǔnǎo

fàngdà / fángdài / fánhuá　　　　xīqǔ / jìqǔ / jīqì

qǐhuǒ / jǐduō / qīhuò　　　　　fēnshēn / shēnshǒu / fēnshù

bīngjīlíng / bīngmǎyǒng / píngchángxīn　　máohōnghōng / mǎlāsōng / máoróngróng

20-1-2 二、听后标出声调 *Add tone marks to the pinyin according to what you hear.*

yifu	mantou	laoshi	kuzi	gaosu	tashi
doufu	boli	wonang	zhongzi	zaihu	shihou
shufu	renao	lisuo	huilai	duome	genzhe

20-1-3 三、听后填空，然后朗读 *Fill in the blanks according to what you hear and then read aloud.*

1. Wǒ xīngqītiān（　　　　　）jiànmiàn.

2.（　　　　　）chuānghu ba, fēng tài dà le.

3. Wǒ gēn péngyou（　　　　　），jīntiān qù kàn tā.

4. Mìmǎ wàngle méi guānxi, kǎ diūle jiù（　　　　　）le.

5. Xià yǔ le, kěshì（　　　　　），zánmen zǒu ba.

20-1-4 四、听写拼音 *Write down the pinyin you hear.*

_____　_____　_____　_____　_____

_____　_____　_____　_____　_____

20-1-5 **五、我也知道**　***I know it too!***

ròu（肉）　xiā（虾）　niú（牛）　jī（鸡）

第二部分　课文
Part Two　Texts

20-2-1 **一、跟读生词**　***Read the following words after the recording.***

课文一　**Text 1**

1.	同屋	tóngwū	*n.*	roommate
2.	关	guān	*v.*	to close
3.	窗户	chuānghu	*n.*	window
4.	风	fēng	*n.*	wind
5.	出去	chūqu	*v.*	to go out
6.	呀	ya	*int.*	ah, oh (*indicating surprise*)
7.	开	kāi	*v.*	to open
8.	快餐店	kuàicān diàn		fast food restaurant
	快餐	kuàicān	*n.*	fast food
9.	也许	yěxǔ	*adv.*	maybe
10.	卖	mài	*v.*	to sell
11.	面条	miàntiáo	*n.*	noodles
12.	炒菜	chǎocài	*n.*	stir-fried dish
	炒	chǎo	*v.*	to stir-fry, to fry
	菜	cài	*n.*	dish, course

13.	中式	zhōngshì	*adj.*	Chinese style
14.	外卖	wàimài	*n.*	takeaway, take-out food
15.	可能	kěnéng	*adv.*	maybe

课文二 *Text 2*

16.	下雨	xià yǔ		to rain
	雨	yǔ	*n.*	rain
17.	没问题	méi wèntí		no problem
18.	挺	tǐng	*adv.*	very, rather, quite
19.	份	fèn	*m.*	part, portion
20.	米饭	mǐfàn	*n.*	cooked rice
21.	那边	nàbian	*pron.*	there, over there
22.	房间	fángjiān	*n.*	room

课文三 *Text 3*

23.	睡觉	shuìjiào	*v.*	to sleep
24.	一会儿	yí huìr		in a moment, a little while
	会儿	huìr	*m.*	moment
25.	见面	jiànmiàn	*v.*	to meet
26.	热	rè	*adj.*	hot
27.	里	lǐ	*n.*	in, inside

20-2-2 二、跟读专名 *Read the following proper nouns after the recording.*

1.	丽华快餐店	Lìhuá Kuàicān Diàn	Lihua Fast Food
2.	外国语大学	Wàiguóyǔ Dàxué	University of Foreign Studies
3.	麦当劳	Màidāngláo	McDonald's
4.	肯德基	Kěndéjī	KFC

20-2-3 三、跟读短语或句子　*Read the following phrases or sentences after the recording.*

1. 关上窗户。
2. 关上窗户吧。
3. 快餐
4. 吃中式快餐
5. 咱们吃中式快餐吧。
6. 出去
7. 下午我想出去。
8. 说好了

9. 我跟朋友说好了。
10. 大点儿声
11. 您大点儿声说。
12. 又忙又累
13. 又学习又工作
14. 又是风又是雨
15. 他每天又学习又工作，又忙又累。

20-2-4 四、听录音，判断 A 和 B 哪个是你听到的　*Choose A or B according to what you hear.*

1. A. 那个快餐店离学校不远。
   B. 那个快餐店离学校很远。

2. A. 那个快餐店卖什么呀？
   B. 你去快餐店买什么呀？

3. A. 您好，这里是佳佳快餐店，您需要什么？
   B. 您好，这里是丽华快餐店，您需要什么？

4. A. 每天看电视，能知道很多事情。
   B. 每天看电视，能知道许多事情。

5. A. 快餐送到家里，坐在家里就能吃到热的饭菜。
   B. 快餐送到家里，坐在家里就能吃到热饭热菜。

6. A. 麦当劳、肯德基都不错，可是他更习惯中式快餐。
   B. 麦当劳、肯德基都不错，可是他更喜欢中式快餐。

20-2-5 五、根据课文一做下面的练习　*Do the following exercises according to Text 1.*

（一）选择正确答案　*Choose the correct answer.*

1. A. 去朋友那儿　　　　　B. 去吃快餐
2. A. 上午　　　　　　　　B. 下午
3. A. 送　　　　　　　　　B. 不送

（二）判断正误　*Decide if the following statements are true or false.*

1. 林小弟开了一个快餐店。　　　　　　（　　　）
2. 风太大，林小弟不太想去朋友那儿了。　（　　　）

106

3. 下午风一定会小。 （　　）

4. 林小弟朋友开的是中式快餐店。 （　　）

20-2-6 六、根据课文二做下面的练习 *Do the following exercises according to Text 2.*

（一）根据课文填空 *Fill in the blanks according to the text.*

11 月 25 日电话

姓名：林小弟

订餐：快餐＿＿＿＿＿＿份，＿＿＿＿＿＿份饺子，
　　　　＿＿＿＿＿＿份鸡蛋炒米饭。

住址：外国语大学学生＿＿＿＿＿＿楼＿＿＿＿＿＿房间

电话：＿＿＿＿＿＿＿＿＿＿＿

（二）根据课文选择正确的回答 *Choose the correct answer according to the text.*

1. A. 可以。 B. 你朋友那儿的饭好吃吗？

2. A. 你是哪里？ B. 我要两份快餐。

3. A. 我姓林，叫林小弟。 B. 我姓林小弟。

20-2-7 七、根据课文三做下面的练习 *Do the following exercise according to Text 3.*

快速回答问题 *Give quick responses to the questions.*

1. 林小弟每天做什么？

2. 林小弟星期六、星期天怎么过？

3. 林小弟觉得朋友的快餐怎么样？

4. 林小弟觉得现在的生活怎么样？

八、说一说 *Give a talk.*

1. 你在中国的吃饭时间和习惯。

2. 周末你做些什么？

3. 到中国后，你的生活和以前有什么不一样？

21 我的照相机找到了
My Camera Has Been Found

第一部分　语音
Part One　Pronunciation

 一、仔细听，选择你听到的词语 *Listen carefully and choose the words and expressions you hear.*

bùkān / fùkān / bùguǎn

rónghuì / rónghuà / lóngxiā

jìjié / jījīn / jíjù

bǔyǔ / fǔyù / pōuxī

qǐhòng / gāozhōng / gàozhuàng

dāoxiāomiàn / fēngjǐngxiàn / hóngményàn

měigǎn / měimǎn / mènghuàn

dìshì / tǐzhì / dìrè

rèqì / rèqiè / rěqì

huìhuà / huíhuà / huàfǎ

rènmiǎn / rènmìng / rènpíng

gōngzuòrì / gōngchéngshī / kǒngquèshí

二、仔细听，选择你听到的句子 *Listen carefully and choose the sentences you hear.*

Jìng qǐng yuánliàng. / Jìng qǐng jiànliàng.

Wǒ yào mǎi zìxíngchē. / Wǒ yào mài zìxíngchē.

Nǐ hǎohāor tīng wǒ shuō. / Nǐ tīng wǒ hǎohāor shuō.

Nǐ zuìhǎo shì xiàwǔ lái. / Nǐ zuìhǎo shì shàngwǔ lái.

三、我也知道 *I know it too!*

hóng(sè) 红(色)

huáng(sè) 黄(色)

lǜ(sè) 绿(色)

lán(sè) 蓝(色)

bái(sè) 白(色)

zǐ(sè) 紫(色)

huī(sè) 灰(色)

kāfēisè 咖啡色

第二部分　课文
Part Two　Texts

21-2-1 一、跟读生词 *Read the following words after the recording.*

课文一 *Text 1*

1.	公园	gōngyuán	*n.*	park
2.	(照)相机	(zhào) xiàngjī	*n.*	camera
3.	锻炼	duànliàn	*v.*	to have physical training
4.	椅子	yǐzi	*n.*	chair
5.	唱歌	chànggē	*v.*	to sing a song
	唱	chàng	*v.*	to sing
6.	跳舞	tiàowǔ	*v.*	to dance
7.	把	bǎ	*prep.*	*used to advance the object of a verb to the position before it*
8.	放	fàng	*v.*	to put, to place
9.	后来	hòulái	*n.*	later, afterwards
10.	发现	fāxiàn	*v.*	to find, to discover
11.	登记	dēngjì	*v.*	to register
12.	送	sòng	*v.*	to bring, to deliver
13.	会	huì	*v.*	to be sure to
14.	通知	tōngzhī	*v.*	to inform, to give notice

课文二 *Text 2*

15.	照片	zhàopiàn	*n.*	picture, photo
16.	桌子	zhuōzi	*n.*	desk, table
17.	生日	shēngrì	*n.*	birthday
18.	捡	jiǎn	*v.*	to pick up, to find
19.	伞	sǎn	*n.*	umbrella
20.	另外	lìngwài	*conj.*	otherwise, in addition
21.	黑板	hēibǎn	*n.*	blackboard

课文三 *Text 3*

22.	俩	liǎ		two
23.	极（了）	jí (le)	*adv.*	extremely
24.	感谢	gǎnxiè	*v.*	to thank, to be grateful
25.	短信	duǎnxìn	*n.*	short text message
26.	还	huán	*v.*	to return, to give back

21-2-2 二、跟读专名 *Read the following proper noun after the recording.*

周一白   Zhōu Yībái   Zhou Yibai (a Chinese name)

21-2-3 三、跟读短语或句子 *Read the following phrases or sentences after the recording.*

1. 放在椅子上
2. 把照相机放在椅子上。
3. 写在这儿
4. 把电话号码写在这儿。
5. 放在桌子里边
6. 把照相机放在桌子里边。
7. 生日礼物

8. 妈妈给我的生日礼物
9. 看见照相机
10. 你看见我的照相机了吗？
11. 照相机没有了。
12. 我的照相机没有了。
13. 高兴极了
14. 她高兴极了。

21-2-4 四、听录音，判断 A 和 B 哪个是你听到的 *Choose A or B according to what you hear.*

1. A. 回来我发现照相机没有了。
   B. 后来我发现照相机没有了。

2. A. 你把电话号码写在这儿。
   B. 把你的电话号码写在这儿。

3. A. 有人把东西送来，我们会马上通知您。
   B. 有人送东西来，我们马上通知您。

4. A. 我那个照相机不能丢，是我妈妈给我的生日礼物。
   B. 我那个照相机不能丢，是妈妈给我的礼物。

5. A. 学校有一个办公室，别人捡了东西都会送去。
   B. 学校有一个办公室，别人捡了东西都送那儿去。

6. A. 他们俩的照相机都找到了。

　　B. 他们的两个照相机都找到了。

21-2-5 **五、根据课文一做下面的练习** *Do the following exercises according to Text 1.*

（一）选择正确答案　*Choose the correct answer.*

1. A. 她的照相机丢了　　　　　B. 她的手机丢了

2. A. 六点多丢的　　　　　　　B. 刚丢一会儿

3. A. 不行　　　　　　　　　　B. 行

（二）快速回答问题　*Give quick responses to the questions.*

1. 李美丽早上在公园干什么？

2. 她把照相机放在哪儿了？

3. 谁拿走了她的照相机？

4. 丢了照相机为什么要填表？

21-2-6 **六、根据课文二做下面的练习** *Do the following exercises according to Text 2.*

（一）判断正误　*Decide if the following statements are true or false.*

1. 李美丽知道山田佑的照相机在哪儿。　　（　　）

2. 上午山田佑给大家看照片了。　　　　　（　　）

3. 山田佑把照相机放在了椅子上。　　　　（　　）

4. 下课以后，山田佑忘了拿照相机。　　　（　　）

5. 照相机是妈妈给山田佑的生日礼物。　　（　　）

6. 王英捡到了一把伞。　　　　　　　　　（　　）

（二）快速回答问题　*Give quick responses to the questions.*

1. 学校有一个什么样的办公室？

2. 李美丽说山田佑可以在黑板上写什么？

21-2-7 **七、根据课文三做下面的练习** *Do the following exercises according to Text 3.*

（一）选择正确答案　*Choose the correct answer.*

1. A. 他们的照相机找到了　　　B. 有人给他们打电话了

2. A. 一个中国学生　　　　　　B. 图书馆的周一白

（二）快速回答问题 *Give quick responses to the questions.*

1. 周一白怎么找的山田佑？

2. 周一白为什么晚上才给山田佑发短信？

3. 山田佑在哪儿找到了周一白？

4. 山田佑很感谢周一白，周一白怎么说？

八、说一说 *Give a talk.*

1. 在你们国家，如果在公园、公共汽车、出租车上丢了东西怎么办？

2. 你丢过重要的东西吗？找到了吗？说一说是怎么回事。

22

买什么颜色的
What Color Do You Want

第一部分　语音
Part One　Pronunciation

22-1-1 一、仔细听，选择你听到的词语 *Listen carefully and choose the words and expressions you hear.*

wéifǎ / wéifǎn / wéifàn

jìshí / jíshí / qíshí

shíjiān / rìjiàn / rìjūn

bǎntú / bàntú / bāngfú

fúkuā / fǔhuà / bùfǎ

gǎn bu jí / kàn bu qǐ / gù zìjǐ

shícháng / shìchǎng / shīcháng

gūjì / gùyì / gōngjǐ

yōushì / yǒushí / yòu shì

yídài / yídàn / yídào

bùzhǐ / pǔshí / bùzhì

míngbai le / míngbǎi zhe / mínbàn de

22-1-2 二、仔细听，选择你听到的句子 *Listen carefully and choose the sentences you hear.*

Zuótiān wǒ chídào le. / Zuótiān wǒ chīhǎo le.

Nà běn Hànyǔ cídiǎn shì wǒ de. / Nǎ běn Hànyǔ zìdiǎn shì wǒ de?

Nǐ děi ànshí chī yào. / Nǐ děi ànshí huàn yào.

Wǒ de shēngrì shì yī yuè yī hào. / Wǒ de shēngrì shì qī yuè qī hào.

22-1-3 三、听写拼音 *Write down the pinyin you hear.*

_____　_____　_____　_____　_____

_____　_____　_____　_____　_____

113

22-1-4　四、我也知道　*I know it too!*

shēn lù (sè)　深绿(色)

qiǎn lù (sè)　浅绿(色)

shēn huáng (sè)　深黄(色)

qiǎn huáng (sè)　浅黄(色)

shēn lán (sè)　深蓝(色)

qiǎn lán (sè)　浅蓝(色)

第二部分　课文
Part Two　Texts

22-2-1　一、跟读生词　*Read the following words after the recording.*

课文一　*Text 1*

1. 上	shàng	*v.*	to go to, to leave for
2. 陪	péi	*v.*	to go with, to keep sb. company
3. 颜色	yánsè	*n.*	color
4. 蓝	lán	*adj.*	blue
5. 黄	huáng	*adj.*	yellow
6. 白	bái	*adj.*	white
7. 深	shēn	*adj.*	(of color) dark
8. 浅	qiǎn	*adj.*	(of color) light
9. 天气	tiānqì	*n.*	weather
10. 爱	ài	*v.*	to be apt to, to be in the habit of
11. 脏	zāng	*adj.*	dirty
12. 合适	héshì	*adj.*	suitable

13.	肥	féi	*adj.*	loose
14.	瘦	shòu	*adj.*	tight
15.	短	duǎn	*adj.*	short
16.	换	huàn	*v.*	to change

课文二 *Text 2*

17.	AA制	AA zhì		to go Dutch
18.	中餐	zhōngcān	*n.*	Chinese food
19.	西餐	xīcān	*n.*	Western food
20.	或者	huòzhě	*conj.*	or
21.	简单	jiǎndān	*adj.*	simple
22.	丰富	fēngfù	*adj.*	rich, abundant, lavish

课文三 *Text 3*

23.	西式	xīshì	*adj.*	Western style
24.	点心	diǎnxin	*n.*	refreshments, pastry
25.	客厅	kètīng	*n.*	living room
26.	紫	zǐ	*adj.*	purple
27.	茶壶	cháhú	*n.*	teapot
28.	老	lǎo	*adj.*	old
29.	猫	māo	*n.*	cat

 二、跟读短语或句子 *Read the following phrases or sentences after the recording.*

1. 上哪儿?	8. 浅色衣服爱脏。
2. 你想上哪儿?	9. 很合适
3. 他上商店买东西去了。	10. 这件衣服你穿很合适。
4. 什么颜色?	11. 简单点儿
5. 你喜欢什么颜色?	12. 吃简单点儿就行。
6. 我喜欢浅蓝色，不喜欢深蓝色。	13. 非常丰富
7. 爱脏	14. 今天的午餐太丰富了。

22-2-3 三、听录音，判断 A 和 B 哪个是你听到的 *Choose A or B according to what you hear.*

1. A. 昨天我在这儿吃的饭，这儿不错。
   B. 昨天我在这儿吃了饭，还不错。

2. A. 你想买深的还是浅的？
   B. 你喜欢深的还是浅的？

3. A. 我也觉得深的男的穿更好。
   B. 我也觉得男的穿深色的更好。

4. A. 前边就是商场，陪我去买条裤子吧。
   B. 前边就是商场，你也去买条裤子吧。

5. A. 饺子或者面条都行，就是希望快点儿，一点半我还有事。
   B. 饺子和面条都行，就是希望快点儿，一会儿我还有事。

22-2-4 四、根据课文一做下面的练习 *Do the following exercises according to Text 1.*

（一）根据课文连线 *Do the matching exercise according to the text.*

商场里的裤子　　　　　　　浅黄色的
天气热了　　　　　　　　　但是太爱脏
白的挺好看　　　　　　　　不买蓝色的了
王英想买　　　　　　　　　颜色很多

（二）快速回答问题 *Give quick responses to the questions.*

1. 王英想上哪儿？

2. 她想干什么？

3. 她不想买什么颜色的？为什么？

4. 她们觉得什么颜色适合男的穿？

5. "瘦" 的反义词是什么？

6. "长" 的反义词是什么？

22-2-5 五、根据课文二做下面的练习　*Do the following exercises according to Text 2.*

（一）选择正确答案　*Choose the correct answer.*

    1. A. 王英请赵月　　　　　　B. 谁也不请

    2. A. 中餐　　　　　　　　　B. 西餐

    3. A. 她想少花钱　　　　　　B. 她还有事

（二）边听录音边填空，然后朗读　*Listen to the recording, fill in the blanks and then read aloud.*

    1. 别（　　　　　）了，咱们 AA 制吧。

    2. 昨天我在这儿吃的饭，这儿（　　　　　）。

    3. 饺子（　　　　　）面条，简单点儿，不用太（　　　　　）。

    4. 快点儿就行，一点半我还（　　　　　）。

22-2-6 六、根据课文三做下面的练习　*Do the following exercises according to Text 3.*

（一）根据课文，选词填表（有的词可以用两次）

    Choose the correct words to fill in the table according to the text (some words can be used twice).

    紫色　　红的　　浅黄的　　猫　　舒服　　音乐　　丰富　　喝的　　聊天儿

第一张照片：我的早餐	早餐的内容很丰富，早餐的颜色也很（　　　）：西红柿是（　　　），点心是黄的，茶是（　　　），苹果黄中带红，有吃的，也有（　　　）。
第二张照片：我的客厅	这里的窗户很大，椅子很（　　　），茶壶是（　　　）的。朋友来了，我们在这儿喝茶，喝咖啡，（　　　），听（　　　），看电视。
第三张照片：我不在家的时候	我不在家的时候，坐在这儿的是一只（　　　），它已经 10 岁了，这只（　　　）是我最好的朋友。

（二）根据实际情况互相问答

Ask each other questions and give responses according to the actual situation.

1. 你今天的早餐是什么？

2. 你的房间是什么样的？

七、从下面的照片中选择一张，用你学过的词语说一说它的颜色

Choose one picture from below and talk about its colors using the words you have learned before.

1

4

2

5

3

6

23

我感冒了
I Caught a Cold

第一部分 语音
Part One   Pronunciation

23-1-1 一、仔细听，选择你听到的词语 *Listen carefully and choose the words and expressions you hear.*

hǎoxiàng / hǎoxiē / hǎoxīn

huìqì / wèntí / wēijī

xiǎoshí / xiāoshī / xiān chī

dǎdòng / qǐhòng / yìtóng

bù kě jiù yào / bù kě kāi jiāo

fǔ shí jí shì / fú wú shuāng zhì

jiǎngjīn / xīnjìn / jiànshēn

qīngkuài / qíngkuàng / jìnkuàng

gàoshi / gāoshǒu / gāoshòu

bù tīng / búxìng / bùxíng

fáng huàn wèi rán / fáng wēi dù jiàn

gāo tái guì shǒu / gāo tán kuò lùn

23-1-2 二、仔细听，选择你听到的句子 *Listen carefully and choose the sentences you hear.*

Shéi diūle yì běn shū? / Nǎ wèi diūle yì běn shū?

Wǒ qù yínháng qǔ diǎnr qián. / Wǒ qù chāoshì mǎi diǎnr yán.

Wǒmen míngtiān qù Tiāntán hé Gùgōng. / Wǒmen míngtiān qù Tiāntán huòzhě Gùgōng.

Wǒ cónglái yě bù shuō zhè zhǒng huà. / Wǒ cónglái yě bú zhème shuōhuà.

23-1-3 三、听录音，用拼音把你听到的词语写在下面的括号里

Listen to the recording first and write down the pinyin of the words you hear in the brackets.

1. (   )   2. (   )   3. (   )   4. (   )

5. (   )   6. (   )   7. (   )   8. (   )

四、我也知道　*I know it too!*

1. 鱼（yú）的量词是（　　　　　　　　）

2. 象（xiàng）的量词是（　　　　　　　）

3. 马（mǎ）的量词是（　　　　　　　　）

4. 可以用量词"只"说（　　　　　　　　）

第二部分　课文
Part Two　Texts

23-2-1 一、跟读生词　*Read the following words after the recording.*

课文一　*Text 1*

1.	都	dōu	*adv.*	already
2.	开学	kāixué	*v.*	school opens, term begins
3.	秋天	qiūtiān	*n.*	autumn
4.	考试	kǎoshì	*v.*	to take an examination
5.	差不多	chàbuduō	*adv.*	almost, nearly
6.	下雪	xià xuě		to snow
7.	多	duō	*adv.*	how, what (*used in exclamations to indicate a high degree or great extent*)
8.	暖和	nuǎnhuo	*adj.*	warm
9.	怕	pà	*v.*	to fear, to dread
10.	有点儿	yǒudiǎnr	*adv.*	a bit, a little, slightly
11.	发烧	fāshāo	*v.*	to have a fever
	烧	shāo	*v.*	to burn, to run a fever
12.	好好儿	hǎohāor	*adv.*	all out, to one's heart's content
13.	休息	xiūxi	*v.*	to have or take a rest

课文二 *Text 2*

14.	一块儿	yíkuàir	*adv.*	together
15.	多大	duō dà		how old
16.	头疼	tóuténg	*adj.*	headache
	头	tóu	*n.*	head
	疼	téng	*adj.*	painful
17.	嗓子	sǎngzi	*n.*	throat
18.	咳嗽	késou	*v.*	to cough
19.	片	piànr	*m.*	piece

课文三 *Text 3*

20.	全身	quánshēn	*n.*	all over the body, the whole body
	全	quán	*adj.*	whole
	身	shēn	*n.*	body
21.	挂号	guàhào	*v.*	to register (at a hospital, etc.)
22.	左右	zuǒyòu	*n.*	about, more or less, or so

23-2-2 二、跟读专名 *Read the following proper nouns after the recording.*

| 1. | 洋洋 | Yángyang | Yangyang (name of a Thai student) |
| 2. | 泰国 | Tàiguó | Thailand |

23-2-3 三、跟读短语或句子 *Read the following phrases or sentences after the recording.*

1. 秋天到了。
2. 又下雨了。
3. 天气暖和了。
4. 我感冒了。
5. 我感冒了，有点儿发烧。
6. 我也有点儿感冒。
7. 我感冒了，嗓子疼，还有点儿头疼。
8. 我也有点儿感冒，嗓子疼，头疼，还咳嗽。

9. 我感冒差不多好了。
10. 喜欢下雪
11. 我不喜欢下雪，我怕冷。
12. 一个星期左右
13. 她病了一个星期左右。
14. 你今年多大？
15. 我今年25岁。

23-2-4　四、听录音，选择正确的回答　*Listen and choose the correct answer.*

1. A. 还有一个月呢。
   B. 快下雪了。

2. A. 当然怕冷了。
   B. 今年冬天挺冷的。

3. A. 我嗓子疼。
   B. 不发烧了，就是觉得冷。

4. A. 一个星期左右。
   B. 20多岁。

5. A. 我病了。
   B. 呀，下雪了！

6. A. 吃饭以后再吃药。
   B. 不发烧就不吃了。

23-2-5　五、根据课文一做下面的练习　*Do the following exercises according to Text 1.*

（一）选择正确答案　*Choose the correct answer.*

1. A. 冬天　　　　　　　　　　B. 秋天
2. A. 洋洋　　　　　　　　　　B. 李美丽
3. A. 挺冷的　　　　　　　　　B. 挺暖和
4. A. 多穿衣服　　　　　　　　B. 感冒

（二）快速回答问题　*Give quick responses to the questions.*

1. 还有多长时间考试？

2. 洋洋为什么喜欢下雪？

3. 冷了，洋洋会怎么办？

4. 李美丽有什么不舒服的感觉？

23-2-6　六、根据课文二做下面的练习　*Do the following exercises according to Text 2.*

（一）根据课文连线　*Do the matching exercise according to the text.*

你怎么还不起床啊？　　　　　　　　我不是，她是。

你发烧了，我陪你去医院吧。　　　　头疼，嗓子疼，还咳嗽。

谁是李美丽？是你吗？　　　　　　　我病了，不能去上课了。

你怎么不舒服？　　　　　　　　　　不用了，我自己去吧。

（二）快速回答问题　*Give quick responses to the questions.*

1. 李美丽多大了？

2. 医生告诉她怎么做？

3. 李美丽拿了几种药？怎么吃？

七、根据课文三做下面的练习　*Do the following exercises according to Text 3.*

（一）判断正误　*Decide if the following statements are true or false.*

1. 天冷，人就爱感冒。　　　　　　（　　　）

2. 开始，李美丽觉得休息休息感冒就好了。　（　　　）

3. 李美丽去医院以后，更不舒服了。　（　　　）

4. 李美丽陪洋洋去了医院。　　　　（　　　）

5. 医院里，人特别多。　　　　　　（　　　）

（二）边听录音边填空，然后朗读　*Listen to the recording, fill in the blanks and then read aloud.*

1. 李美丽每天都吃药，多喝水，多睡觉，一个星期（　　　　　），感冒就（　　　　　）好了。

2. 在中国，（　　　　　）是医院，（　　　　　）地方人都不少。

八、用你自己的话说一说冬天什么样　*Use your own words to describe winter.*

24 我下去找她

I'll Find Her Downstairs

第一部分　语音
Part One　Pronunciation

24-1-1 一、仔细听，选择你听到的词语 *Listen carefully and choose the expressions you hear.*

gèrén zhǔyì / gōnglì zhǔyì

huàn dé huàn shī / huá ér bù shí

gùdìng zīchǎn / gèrén fāzhǎn

gāo zhěn wú yōu / gé gé bú rù

dǎ mǎhuyǎn / dàomào ànrán

bǎi kǒng qiān chuāng / bǎi huā qí fàng / bǎi bù chuān yáng

zhīshi chǎnquán / chún wáng chǐ hán / zì bú liàng lì

huīsè shōurù / zǒu tóu wú lù

hǎo zì wéi zhī / lè shàn hào shī

fúyáo zhí shàng / fēnshù zhìshàng

diān lái dǎo qù / diān sān dǎo sì

dàdaliēliē / dà huò bù jiě

24-1-2 二、仔细听，选择你听到的句子 *Listen carefully and choose the sentences you hear.*

Shéi bú yuànyì, zhǎo wǒ lai. / Shéi bú yuànyì, wǒ yé děi lái.

Wǒ děi qù tàng yínháng. / Wǒ děi xiān qù shítáng.

Tā měitiān dōu duànliàn shēntǐ. / Tā měitiān dōu duànliàn zìjǐ.

Tā jīnnián dàxué bìyè. / Tā jīntiān mǎile shuāng xié.

24-1-3 三、听写拼音 *Write down the pinyin you hear.*

_____

_____

24-1-4 四、我也知道 *I know it too!*

yì pén huā（一盆花）

yì píng huā（一瓶花）

yí shù huā（一束花）

yì zhāng huàr（一张画儿）

124

第二部分　课文
Part Two　Texts

一、跟读生词　*Read the following words after the recording.*

课文一 *Text 1*

1.	下边	xiàbian	*n.*	downstairs, below
2.	展览	zhǎnlǎn	*n./v.*	exhibition; to exhibit
3.	电梯	diàntī	*n.*	elevator
4.	上	shàng	*v.*	to go up
5.	正好	zhènghǎo	*adv.*	by chance, coincidentally
6.	下	xià	*v.*	to go down
7.	玩儿	wánr	*v.*	to have fun
8.	如果	rúguǒ	*conj.*	if, in case
9.	照	zhào	*v.*	to take a picture, to photograph
10.	照顾	zhàogu	*v.*	to look after
11.	早	zǎo	*adj.*	early
12.	糟糕	zāogāo	*adj.*	too bad
13.	钥匙	yàoshi	*n.*	key

课文二 *Text 2*

14.	容易	róngyì	*adj.*	easy
15.	内容	nèiróng	*n.*	content
16.	排(队)	pái (duì)	*v.*	to queue up
17.	票	piào	*n.*	ticket
18.	各	gè	*pron.*	each
19.	特点	tèdiǎn	*n.*	characteristic, feature

课文三 *Text 3*

20.	开业	kāiyè	*v.*	to start business
21.	电影	diànyǐng	*n.*	film, movie
22.	美	měi	*adj.*	beautiful

23.	让	ràng	v.	to let, to allow
24.	拍	pāi	v.	to take (a photo), to shoot (a film)
25.	一边…… 一边……	yìbiān…… yìbiān……		*indicating two actions taking place at the same time*

24-2-2　二、跟读专名　*Read the following proper noun after the recording.*

长城　　　　　　　　Chángchéng　　　　　　Great Wall

24-2-3　三、跟读短语或句子　*Read the following phrases or sentences after the recording.*

1. 看展览
2. 你也看展览来了？
3. 他旅游去了。
4. 他出去了，不在家。
5. 买东西
6. 他买东西去了。
7. 看电影

8. 看电影光盘
9. 他玩儿去了。
10. 排队买票
11. 请排队买票。
12. 不舒服
13. 如果不舒服，就上医院。
14. 如果不下雨，咱们就去。

24-2-4　四、听录音，选择正确的回答　*Listen and choose the correct answer.*

1. A. 是啊。
   B. 她下去了。

2. A. 我想看照片。
   B. 真不行，一会儿朋友来找我。

3. A. 洋洋昨天陪我上医院了。
   B. 挺好的，洋洋人特别好。

4. A. 现在的展览真不少。
   B. 看展览的地方挺多的。

5. A. 还有更大的呢。
   B. 这个书店刚开业。

6. A. 有，可是我今天没带。
   B. 照相机多少钱？

24-2-5　五、根据课文一做下面的练习　*Do the following exercises according to Text 1.*

（一）选择正确答案　*Choose the correct answer.*

1. A. 陪朋友　　　　　　B. 看展览
2. A. 去拍照片　　　　　B. 陪朋友出去玩儿
3. A. 楼下　　　　　　　B. 电梯里

（二）边听录音边填空，然后朗读　*Listen to the recording, fill in the blanks and then read aloud.*

1. 她下去了，说在（　　　　　　）等你，你们要一块儿去看展览。
2. 电梯人多，我（　　　　　　）上来的。

3. 可能我（　　　）楼的时候她正好（　　　）楼。

4. （　　　）能照照片，回来我看照片吧。

5. 我不知道你（　　　）了，还（　　　）找你呢。

6. 咱们走吧，已经不（　　　）了。

7. 糟糕，我还（　　　）上去。

8. 我没带钥匙。洋洋走了，我回来就（　　　）了。

24-2-6 六、根据课文二做下面的练习　*Do the following exercises according to Text 2.*

（一）判断正误　*Decide if the following statements are true or false.*

1. 中国人都喜欢看展览。　　　　　　　　　（　　　）

2. 在中国看展览不容易。　　　　　　　　　（　　　）

3. 不容易看到的展览，来的人特别多。　　　（　　　）

4. 赵月她们在网上买了票。　　　　　　　　（　　　）

（二）边听录音边填空，然后朗读　*Listen to the recording, fill in the blanks and then read aloud.*

1. （　　　　　）排了，我在网上买票了。

2. 现在（　　　　　）展览挺多的，有的内容很好，也有特点。

3. （　　　　　）你愿意，以后有时间，咱们再一起去吧。

24-2-7 七、根据课文三做下面的练习　*Do the following exercises according to Text 3.*

（一）选择正确答案　*Choose the correct answer.*

1. A. 逛书店　　　　　　　　　B. 看电影

2. A. 各种书都有　　　　　　　B. 可以看电影

3. A. 第一次看长城很漂亮　　　B. 冬天的长城很漂亮

（二）快速回答问题　*Give quick responses to the questions.*

1. 赵月和李美丽去的新书店怎么样？

2. 李美丽为什么那么高兴？

3. 为什么李美丽没给洋洋看照片？

4. 李美丽和洋洋怎么休息呢？

八、说一说　*Give a talk.*

1. 你觉得怎么休息最好？

2. 你经常看电影吗？你最喜欢的电影是什么？

25

躺在地上的这个人怎么了
What's the Matter with the Man Lying on the Ground

第一部分　语音
Part One　Pronunciation

 25-1-1 一、仔细听，选择你听到的词语 *Listen carefully and choose the words and expressions you hear.*

dé gāo wàng zhòng / dǎn zhàn xīn jīng　　　dú chū xīncái / dōng dǎo xī wāi

báitóu xié lǎo / tiāntiān xǐzǎo　　　pái shān dǎo hǎi / bǎi chuān guī hǎi

bǎinián bú yù / bǎinián dàjì　　　bàn shēng bù shú / bàn shēn bù suí

dúzì / dúzǐ / dùzi / dúzī　　　dìzhǐ / jíshí / dìzhì / tízi

huángtǔ / fángzū / fǎnggǔ / fǎngfú　　　fùxí / fùxīng / fùxìn / hùnong

huàjiā / huājiǎ / guàjī / kūqì　　　lìzhì / lǐzhì / lìzhī / rìzi

 25-1-2 二、仔细听，选择你听到的句子 *Listen carefully and choose the sentences you hear.*

Nà duǒ fěnsè de huār zuì hǎokàn. / Nà bǎ hóngsè de sǎn hěn hǎokàn.

Tā zhème zuò yě shì bùdéyǐ. / Tā zhème zuò quán shì wèi zìjǐ.

Wǒ měitiān wǎnshang dōu xiě Hànzì. / Tā měitiān wǎnshang dōu kàn diànshì.

Wǒ jīnnián xiàtiān yídìng qù lǚyóu. / Wǒ jīntiān wǎnshang yídìng kàn zúqiú.

25-1-3 三、听写拼音 *Write down the pinyin you hear.*

_____　　　_____

_____　　　_____

_____　　　_____

四、看图说一说：我最喜欢的一条街

Please use your own words to describe the following picture under the title "My favorite street".

第二部分　课文
Part Two　Texts

一、跟读生词　*Read the following words after the recording.*

课文一　*Text 1*

1.	意思	yìsi	*n.*	meaning
2.	躺	tǎng	*v.*	to lie (on, down)
3.	地	dì	*n.*	ground
4.	危险	wēixiǎn	*adj.*	dangerous
5.	呼吸	hūxī	*v.*	to breathe
6.	病人	bìngrén	*n.*	patient, invalid
7.	人工	réngōng	*adj.*	artificial
8.	像	xiàng	*v.*	to be like
9.	帮助	bāngzhù	*v.*	to help
10.	懂	dǒng	*v.*	to understand
11.	湖	hú	*n.*	lake
12.	岛	dǎo	*n.*	island
13.	没错	méi cuò		surely, certainly

课文二　*Text 2*

14.	道理	dàolǐ	*n.*	reason, hows and whys
15.	一直	yìzhí	*adv.*	always, all the way
16.	难	nán	*adj.*	difficult

课文三　*Text 3*

17.	秘密	mìmì	*n.*	secret
18.	词	cí	*n.*	word
19.	字	zì	*n.*	character
20.	中间	zhōngjiān	*n.*	middle

21.	联系	liánxì	n./v.	contact; to get in touch with
22.	电	diàn	n.	electricity
23.	明白	míngbai	v./adj.	to understand; clear
24.	说话	shuōhuà	v.	to talk, to speak, to say

25-2-2 二、跟读短语或句子 *Read the following phrases or sentences after the recording.*

1. 地上的这个人
2. 躺在地上的这个人
3. 躺在地上的这个人怎么了？
4. 人工呼吸
5. 做人工呼吸
6. 给病人做人工呼吸
7. 她给病人做人工呼吸。
8. 学习的好方法
9. 学习汉语的好方法
10. 我发现了一个学习汉语的好方法。
11. 我又发现了一个学习汉语的好方法。
12. 我又发现了一个学习汉语生词的好方法。
13. 我明白了。
14. 你好好儿想一想，就明白了。

25-2-3 三、听录音，选择正确的回答 *Listen and choose the correct answer.*

1. A. 他病了。
   B. 今天太冷了。

2. A. 120 或者 999。
   B. 这个电话很重要。

3. A. 当然了。
   B. 今天没有雨。

4. A. 这个湖真大。
   B. 不一定是。

5. A. 我不知道。
   B. 这个人怎么了？

6. A. 明天天气不好。
   B. 你觉得呢？

25-2-4 四、根据课文一做下面的练习 *Do the following exercises according to Text 1.*

（一）根据课文连线　*Do the matching exercise according to the text.*

躺在地上的人　　　　　　是很重要的电话号码

旁边那个女的　　　　　　都是病人

需要做人工呼吸的　　　　人工湖，人工岛

"人工"的还有　　　　　　病了

120、999　　　　　　　　在给病人做人工呼吸

（二）快速回答问题　*Give quick responses to the questions.*

1. 你觉得还有什么是人工的？

2. 病人有了危险，要打什么电话？

25-2-5 五、根据课文二做下面的练习　*Do the following exercises according to Text 2.*

（一）根据表中的内容想一想　*Read the table and think about the following questions.*

1. "周"是什么意思？

2. 你还知道什么"~ 语"？

3. "外语"是什么意思？

星期	星期一　星期二　星期三　星期四　星期五　星期六 星期日（星期天）	一个星期有 7 天。
周	周一　周二　周三　周四　周五　周六　周日	一周有 7 天。
月	一月　二月　三月　四月　五月　六月 七月　八月　九月　十月　十一月　十二月	一个月差不多有 30 天。 我来中国 4 个月了。
语	汉语　英语　……　外语	我喜欢学汉语。

（二）说一说　*Give a talk.*

1. 你觉得汉语词的组成有道理吗？请举例。

2. 你记汉语生词的好办法是什么？

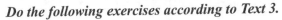

25-2-6 六、根据课文三做下面的练习　*Do the following exercises according to Text 3.*

（一）快速回答问题　*Give quick responses to the questions.*

　　　　1. 留学生们发现的汉语的秘密是什么？

　　　　2. 为什么说发现汉语的这个秘密太重要了？

（二）在这个表上，你还能写出一些词来吗？　*Can you add some other words to this table?*

电	电视　电影　电脑　电话　电梯
话	说话　电话
车	汽车　自行车　出租车
天	今天　明天　昨天
年	今年　明年
今	今天　今年
明	明天　明年

26 快放假了吧
Our Vacation Is Approaching, Isn't It

第一部分　语音
Part One　Pronunciation

 一、仔细听，选择你听到的词语 *Listen carefully and choose the words you hear.*

fùyù / bù xǔ / húli / wúlì

bùfá / bùfǎ / pǔfǎ / bú pà

dǎban / dàbàn / dābān / tāxiàn

fǎngfú / fángfǔ / fánghù / fángshǔ

lìyì / rìyì / lǐyí / lǐyù

kāidāo / kāidào / kuài pǎo / kāitóu

gǔlì / hùlì / hùlǐ / fúlì

héyǐ / fúqì / héyì / búbì

xìngfú / xìnfú / xīnkǔ / xīn shū

jiǔyǐ / qiūyǔ / jiǔyuǎn / jiùyuán

qíshí / qíshì / zhìshǐ / jíshǐ

qiánbèi / qiánbian / qiánbì / qiānbǐ

 二、听写拼音 *Write down the pinyin you hear.*

_____　_____　_____　_____

_____　_____　_____　_____

 三、我也知道 *I know it too!*

zǎo（枣）

báicài（白菜）

huángguā（黄瓜）

yángcōng（洋葱）

第二部分　课文
Part Two　Texts

26-2-1 一、跟读生词 *Read the following words after the recording.*

課文一 *Text 1*

1. 快……了	kuài……le		to be about to, soon
2. 放假	fàngjià	*v.*	to have a vacation or holiday
3. 比赛	bǐsài	*n./v.*	match, competition; to compete
4. 表演	biǎoyǎn	*v.*	to perform, to act, to play
5. 节目	jiémù	*n.*	program
6. 必须	bìxū	*adv.*	must, have to
7. 主要	zhǔyào	*adj.*	main
8. 报名	bàomíng	*v.*	to enter one's name, to sign up
9. 京剧	jīngjù	*n.*	Beijing opera
10. 成	chéng	*v.*	to become
11. 太极拳	tàijíquán	*n.*	*taijiquan*, a kind of traditional Chinese shadow boxing
12. 好听	hǎotīng	*adj.*	pleasant to hear

課文二 *Text 2*

13. 困	kùn	*adj.*	sleepy
14. 回	huí	*m.*	used to indicate frequency of occurrence
15. 练	liàn	*v.*	to practice
16. 可	kě	*adv.*	so (*used for emphasis*)
17. 祝贺	zhùhè	*v.*	to congratulate
18. 定	dìng	*v.*	to decide
19. （飞）机场	(fēi) jīchǎng	*n.*	airport
飞机	fēijī	*n.*	aeroplane
20. 接	jiē	*v.*	to meet, to welcome

| 21. | 最后 | zuìhòu | *n.* | finally |
| 22. | 最好 | zuìhǎo | *adv.* | had better, it would be best |

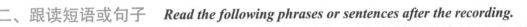

課文三 *Text 3*

23.	参加	cānjiā	*v.*	to take part in, to attend
24.	决定	juédìng	*v.*	to decide
25.	要是	yàoshi	*conj.*	if, suppose, in case

26-2-2 二、跟读短语或句子 *Read the following phrases or sentences after the recording.*

1. 快放假了。
2. 快开始了。
3. 报名快开始了。
4. 成了老师
5. 她成了我的老师。
6. 来中国以后，她就成了我的老师。
7. 我成了她的学生。

8. 这个歌真好听！
9. 他唱歌特别好听。
10. 可好看了！
11. 那花儿可好看了！
12. 时间定了吗？
13. 最好是星期五。
14. 你最好别来。

26-2-3 三、听录音，选择正确的回答 *Listen and choose the correct answer.*

1. A. 快上课了。
   B. 还有两个星期。

2. A. 大家表演汉语节目。
   B. 差不多都是 12 月比赛。

3. A. 主要用汉语表演。
   B. 只好用汉语表演。

4. A. 怎么回事啊？
   B. 我昨天睡觉太晚了。

5. A. 什么时间呀？
   B. 或者星期五，或者星期六。

6. A. 我再想想。
   B. 他怎么不参加呀？

 26-2-4 四、根据课文一做下面的练习 *Do the following exercises according to Text 1.*

（一）选择正确答案 *Choose the correct answer.*

1. A. 唱京剧，唱歌　　　　　B. 表演汉语节目
2. A. 只能用汉语　　　　　　B. 主要用汉语
3. A. 唱京剧　　　　　　　　B. 太极拳

（二）快速回答问题　*Give quick responses to the questions.*

　　1. 学校每年放假以前都要干什么？

　　2. 李美丽什么时候开始学唱京剧的？

　　3. 李美丽什么时候认识了她的京剧老师？

　　4. 李美丽的京剧老师干什么工作？

　　5. 谁要表演太极拳？

　　6. 洋洋可能会表演什么节目？

26-2-5　五、根据课文二做下面的练习　*Do the following exercises according to Text 2.*

（一）判断正误　*Decide if the following statements are true or false.*

　　1. 老师刚上课就累了。　　　　　　　　（　　　）
　　2. 最近，山田佑打太极拳进步特别大。　（　　　）
　　3. 周末，李美丽去公园学唱京剧。　　　（　　　）
　　4. 洋洋也想学京剧了。　　　　　　　　（　　　）
　　5. 汉语比赛的时间是星期五。　　　　　（　　　）

（二）边听录音边填空，然后朗读　*Listen to the recording, fill in the blanks and then read aloud.*

　　1. 我又累又（　　　　　），特别想睡觉。
　　2. 山田佑最近（　　　　）太极拳特别努力。
　　3. 这（　　　　）我是真学明白了。
　　4. 时间（　　　　）了吗？
　　5. 我的朋友星期六来，她不会汉语，我（　　　　）到飞机场接她。
　　6. 星期五还是星期六，还没（　　　　）定。

26-2-6　六、根据课文三做下面的练习　*Do the following exercises according to Text 3.*

（一）判断正误　*Decide if the following statements are true or false.*

　　1. 留学生都很喜欢汉语节目。　　　　　（　　　）
　　2. 很多同学报名参加汉语比赛。　　　　（　　　）
　　3. 李美丽学唱京剧快半年了。　　　　　（　　　）
　　4. 李美丽下星期六有事。　　　　　　　（　　　）
　　5. 李美丽星期五应该去机场接朋友。　　（　　　）

（二）边听录音边填空，然后朗读　*Listen to the recording, fill in the blanks and then read aloud.*

1. 李美丽（　　　　　）汉语比赛的时间是下星期五。

2. 下星期六她的朋友要来中国，她得到飞机场去（　　　　　）她。

3. 比赛是在星期五还是星期六，学校还没（　　　　　）。

4. （　　　　　）星期六，她可怎么办呀？

七、说一说　*Give a talk.*

放一段留学生表演的节目。

1. 他们表演了哪些节目？

2. 你最喜欢的节目是什么？

3. 如果你参加汉语比赛，你会表演什么节目？

27 我正忙着呢
I'm Busy Now

第一部分　语音
Part One　Pronunciation

🎧 27-1-1 一、仔细听，选择你听到的词语 *Listen carefully and choose the words you hear.*

qīngxián / qíngxíng / qīngjìng / qīnqi

jiànjiě / jiǎnjié / jiànjiē / jiǎnjiè

qīngxǐng / xíngróng / qìngxìng / jīngyíng

shàngxiàn / shāngxīn / shàngxīn / shàngxún

shēngjī / céngjí / shēngqì / shīyì

yóuyú / yǒngyú / yǒuyú / xùyì

jíshǐ / jíshí / jìxù / qīxǔ

zhīshi / zhǐshì / zìsī / zìcí

shíyàn / quánxiàn / jiǎnyàn / shìyàn

shèjì / jìqǔ / shèjí / sùjì

wēijī / wēijí / huáiyí / wàiyǔ

yǔjì / yùjì / xīqǔ / jíqǔ

🎧 27-1-2 二、听写拼音 *Write down the pinyin you hear.*

_____　_____　_____　_____　_____

_____　_____　_____　_____　_____

_____　_____　_____　_____　_____

🎧 27-1-3 三、我也知道 *I know it too!*

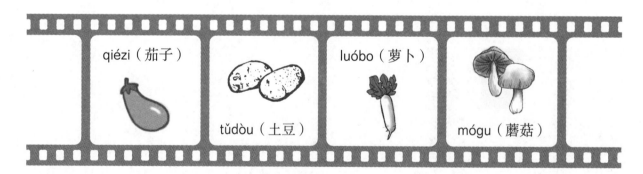

qiézi（茄子）

tǔdòu（土豆）

luóbo（萝卜）

mógu（蘑菇）

第二部分　课文
Part Two　Texts

27-2-1 一、跟读生词　***Read the following words after the recording.***

课文一　*Text 1*

1.	乱	luàn	*adj.*	noisy, in disorder or chaos
2.	门口	ménkǒu	*n.*	entrance
3.	正（在）	zhèng (zài)	*adv.*	(of an action) just happening
4.	着	zhe	*part.*	*indicating the continuation of an action or a state*
5.	调查	diàochá	*n./v.*	investigation, survey; to investigate
6.	句	jù	*m.*	sentence, line
7.	音乐会	yīnyuèhuì	*n.*	concert

课文二　*Text 2*

8.	半天	bàn tiān		a long time, quite a while
9.	挤	jǐ	*adj.*	crowded
10.	社会	shèhuì	*n.*	society
11.	作业	zuòyè	*n.*	school assignment
12.	好	hǎo	*adv.*	very, quite (*used before adjectives or verbs for emphasis and with exclamatory force*)
13.	选	xuǎn	*v.*	to select
14.	题目	tímù	*n.*	topic
15.	开车	kāichē	*v.*	to drive a car, train, etc.
	开	kāi	*v.*	to drive
	车	chē	*n.*	vehicle, automobile, car
16.	上班	shàngbān	*v.*	to go to work
17.	路上	lùshang	*n.*	on the way
18.	打算	dǎsuan	*v.*	to plan

19.	周末	zhōumò	*n.*	weekend
	周	zhōu	*n.*	week

课文三 *Text 3*

20.	约	yuē	*v.*	to ask or invite in advance
21.	见	jiàn	*v.*	to see, to meet
22.	地	de	*part.*	*used after an adjective or a phrase to form an adverbial adjunct before the verb*
23.	了解	liǎojiě	*v.*	to know, to understand
24.	生活	shēnghuó	*n.*	life

27-2-2 **二、跟读短语或句子** *Read the following phrases or sentences after the recording.*

1. 你在哪儿呢？
2. 你干什么呢？
3. 我正忙着呢。
4. 在超市门口
5. 我在超市门口呢。
6. 做调查
7. 我们正在做社会调查。
8. 听音乐会
9. 我想请你听音乐会。
10. 我想约你一起去听音乐会。
11. 在一块儿
12. 我们在一块儿呢。
13. 回电话
14. 一会儿我给你回电话。

27-2-3 **三、听录音，选择正确的回答** *Listen and choose the correct answer.*

1. A. 我在超市门口呢。
   B. 现在能听清了。

2. A. 可以了。
   B. 很好听。

3. A. 我经常没时间睡觉。
   B. 准备节目呢。

4. A. 上午我在家。
   B. 没有，刚到 10 分钟。

5. A. 我还没想好。
   B. 这个大学好。

6. A. 我在想什么时候买汽车。
   B. 我还不了解他。

27-2-4 **四、根据课文一做下面的练习** *Do the following exercises according to Text 1.*

（一）选择正确答案 *Choose the correct answer.*

1. A. 那儿车多人多　　　B. 李美丽太忙了
2. A. 她没说清楚　　　　B. 她没有说
3. A. 问她洋洋在哪儿　　B. 请她去听音乐会

（二）快速回答问题　*Give quick responses to the questions.*

1. 李美丽告诉王英做什么调查了吗？为什么？

2. 王英找李美丽有什么事？

3. 音乐会是什么时候的？

4. 现在几点了？

5. 李美丽的调查什么时候能完？

6. 洋洋在哪儿？她的调查什么时候能完？

27-2-5 五、根据课文二做下面的练习　*Do the following exercises according to Text 2.*

（一）判断正误　*Decide if the following statements are true or false.*

1. 李美丽来了很长时间了。　　　　　　（　　　）
2. 洋洋、李美丽坐的车上人特别多。　　（　　　）
3. 洋洋、李美丽是走路来的。　　　　　（　　　）
4. 他们的社会调查不是老师的作业。　　（　　　）
5. 做社会调查可以和更多的中国人说汉语。（　　　）
6. 李美丽调查了10个题目。　　　　　　（　　　）
7. 李美丽的调查是关于孩子学习的问题。（　　　）

（二）下面是一张调查表，请标出什么内容洋洋的调查表里没有

Look at the questionnaire below and mark the items which are not in Yangyang's questionnaire.

调查表

调查表		
你出去的时候：自己开车（　　　）		坐公共汽车（　　　）
坐地铁　（　　　）		骑自行车　（　　　）
走路　　（　　　）		坐出租车　（　　　）
你每天上班路上要用多长时间？　（　　　）		
现在你家有没有汽车？　（　　　）		
你打算买汽车吗？　（　　　）		
如果买车，想买贵的还是便宜的？　（　　　）		

27-2-6 六、根据课文三做下面的练习　*Do the following exercises according to Text 3.*

（一）选择正确答案　*Choose the correct answer.*

1. A. 她想和李美丽一起去买票　　　B. 她想请李美丽和洋洋听音乐会

2. A. 超市门口太乱　　　　　　　　B. 说话声音太小

3. A. 和中国人做朋友　　　　　　　B. 了解中国人

（二）边听录音边填空，然后朗读　*Listen to the recording, fill in the blanks and then read aloud.*

1. 超市门口（　　　　　）热闹了，那儿人多，车也多，打电话都听不（　　　　　）。

2. 李美丽听说王英想请她和洋洋听音乐会，高兴（　　　　　）。

3. 她们（　　　　　）做社会调查，想（　　　　　）更多的中国人说话，也能（　　　　　）地了解中国人的生活和中国人在（　　　　　）。

七、说一说　*Give a talk.*

1. 给大家讲一个你的中国朋友的故事。

2. 讲一次你去中国人家做客的经历。

3. 你还想了解中国人哪些生活和想法？

28

你怎么现在才来
Why Are You So Late

第一部分　语音
Part One　Pronunciation

 一、仔细听，选择你听到的词语　*Listen carefully and choose the expressions you hear.*

wǎngshàng yínháng / fángwèi guòdàng

wàn bù dé yǐ / zhǐ xiǎng zìjǐ

shízì lùkǒu / shí zhī bā jiǔ

réndào zhǔyì / rì xīn yuè yì

sì shì ér fēi / sǐ jì yìng bèi

jìn tuì liǎng nán / kōngqì wūrǎn

bù kě lǐ yù / bùkěkànglì

二、听写拼音　*Write down the pinyin you hear.*

_____　_____　_____

_____　_____　_____

_____　_____　_____

三、请选择其中的一份早餐，然后用自己的话说一说：这是我的早餐
Please choose one picture from below and use your own words to talk about "This is my breakfast".

1

2

3

第二部分　课文
Part Two　Texts

28-2-1 一、跟读生词　***Read the following words after the recording.***

课文一 *Text 1*

1.	晚	wǎn	*adj.*	late
2.	起	qǐ	*v.*	to get up
3.	打车	dǎchē	*v.*	to take a taxi
4.	堵车	dǔchē	*v.*	traffic jam
	堵	dǔ	*v.*	to stop up
5.	跑	pǎo	*v.*	to run, to go
6.	头发	tóufa	*n.*	hair
7.	才	cái	*adv.*	*used for emphasis* (often followed by 呢 at the end of the sentence)
8.	拉	lā	*v.*	to drag
9.	行李（箱）	xíngli (xiāng)	*n.*	luggage
10.	举	jǔ	*v.*	to lift
11.	高	gāo	*adj.*	high

课文二 *Text 2*

12.	麻烦	máfan	*v.*	to trouble, to bother
13.	客气	kèqi	*adj.*	polite, courteous
14.	装	zhuāng	*v.*	to load, to pack, to fill, to hold
15.	杂志	zázhì	*n.*	magazine
16.	经济	jīngjì	*n.*	economy
17.	方面	fāngmiàn	*n.*	field, aspect
18.	课本	kèběn	*n.*	textbook
19.	相信	xiāngxìn	*v.*	to believe
20.	水平	shuǐpíng	*n.*	level, proficiency
21.	辛苦	xīnkǔ	*adj.*	hard, toilsome, laborious

课文三 *Text 3*

| 22. | 帮忙 | bāngmáng | *v.* | to help, to do a favor |
| 23. | 旅馆 | lǚguǎn | *n.* | hotel |

 二、跟读专名 *Read the following proper noun after the recording.*

| 杰西 | Jiéxī | Jesse (name of an American student) |

 三、跟读短语或句子 *Read the following phrases or sentences after the recording.*

1. 现在才来
2. 他现在才来。
3. 你怎么现在才来?
4. 我起晚了。
5. 咱们打车吧。
6. 又堵车了
7. 我堵车了,你们别等我了。

8. 我堵车了,你们先吃吧。
9. 太客气了!
10. 您太客气了!
11. 别客气。
12. 拿错了
13. 行李拿错了
14. 我的行李拿错了。

 四、听录音,选择正确的回答 *Listen and choose the correct answer.*

1. A. 你太客气了。
   B. 我堵车了。

2. A. 不是那个女的。
   B. 她今天来吗?

3. A. 我怕晚了。
   B. 你不用跑那么快。

4. A. 那边没有人。
   B. 问问吧。

5. A. 照相机。
   B. 我的箱子是蓝色的。

6. A. 我想要小点儿的。
   B. 没错,就是我的。

28-2-5 **五、根据课文一做下面的练习** *Do the following exercises according to Text 1.*

（一）选择正确答案 *Choose the correct answer.*

1. A. 怕李美丽着急   B. 林小弟来晚了

2. A. 想早点儿见到人   B. 飞机已经到了

3. A.   B.   C.

4. A. 懂了   B. 没懂

（二）快速回答问题 *Give quick responses to the questions.*

1. 杰西的特点是什么？

2. 你觉得杰西会说汉语吗？

28-2-6 **六、根据课文二做下面的练习** *Do the following exercises according to Text 2.*

（一）选择正确答案（其中第2题可以多选）

Choose the correct answer (more than one answer to the second question).

1. A. 行李丢了   B. 行李拿错了

2. A. 衣服   B. 伞   C. 杂志   D. 词典   E. 课本   F. 照相机   G. 照片

3. A. 找到了   B. 没找到

（二）边听录音边填空，然后朗读　*Listen to the recording, fill in the blanks and then read aloud.*

　　1. 上午你就来了一趟，下午又（　　　　　）你。

　　2. 你太客气了。我多跑一趟没关系，重要的是（　　　　　）杰西的行李。

　　3. 机场这么大，（　　　　　）找去呀？

　　4. 我们（　　　　　）吧。

　　5. 您看这个行李箱对吗？（　　　　　）刚送回来的。

　　6. 你的汉语（　　　　　）呀，一点儿问题也没有，以后可以（　　　　　）你的汉语水
　　　　平了吧?

28-2-7　七、根据课文三做下面的练习　*Do the following exercises according to Text 3.*

（一）判断正误　*Decide if the following statements are true or false.*

　　1. 李美丽没时间去接朋友。　　　　　　　　　（　　　）

　　2. 王英和林小弟帮忙去接杰西。　　　　　　　（　　　）

　　3. 杰西拿回来的行李箱和自己的不一样。　　　（　　　）

　　4. 开始，李美丽不相信自己的汉语水平。　　　（　　　）

　　5. 在机场，李美丽发现自己听、说汉语都没有问题。（　　　）

（二）快速回答问题　*Give quick responses to the questions.*

　　1. 李美丽为什么要请王英、林小弟帮她去接杰西？

　　2. 下午，她们怎么又去机场了？

　　3. 为什么下午李美丽请王英和她一起去机场？

　　4. 李美丽的汉语水平怎么样？

八、说一说　*Give a talk.*

　　1. 如果你的行李箱拿错了，需要中国人和你一起去机场吗？

　　2. 在生活中，中国人说汉语，你能听懂吗？你说汉语，中国人都懂吗？

他们说汉语，你听得懂吗

Can You Understand Their Chinese

第一部分　语音
Part One　Pronunciation

29-1-1 一、仔细听，选择你听到的词语 *Listen carefully and choose the expressions you hear.*

fēngxiǎn tóuzī / fēnmiǎo bì zhēng　　　hòu gǔ bó jīn / huà lóng diǎn jīng

jīn pí lì jìn / jīnjīn jìjiào　　　jīng yì qiú jīng / jiǎo jìn nǎozhī

jīngjì tèqū / jīngjì shítǐ　　　qiǎng cí duó lǐ / qiān fāng bǎi jì

fúdòng huìlù / huái cái bú yù　　　gé sān chà wǔ / hèn zhī rù gǔ

hào dà xǐ gōng / hē xīběifēng　　　gē wǔ shēng píng / gè bèn qiánchéng

zéi méi shǔ yǎn / wù měi jià lián　　　zì zhèng qiāng yuán / xī xī xiāng guān

jǔ yī fǎn sān / jǐ cì sān fān　　　Qǐ rén yōu tiān / qìxiàng wànqiān

ruò yǒu suǒ shī / ruò wú qí shì　　　lè bù kě zhī / lè shàn hào shī

29-1-2 二、听写拼音 *Write down the pinyin you hear.*

_____　　_____　　_____

_____　　_____　　_____

_____

第二部分　课文
Part Two　Texts

29-2-1 一、跟读生词 *Read the following words after the recording.*

课文一 *Text 1*

1. 城市　　　chéngshì　　n.　　city

2. 交通　　　jiāotōng　　n.　　traffic

3.	关系	guānxi	*n.*	relation, relationship
4.	结果	jiéguǒ	*n.*	result, outcome
5.	年龄	niánlíng	*n.*	age
6.	以上	yǐshàng	*n.*	above
7.	大多数	dàduōshù	*n.*	majority
8.	来自	láizì	*v.*	to come form
9.	家庭	jiātíng	*n.*	family
10.	中	zhōng	*n.*	in, among, amid
11.	家	jiā	*m.*	*used for families or enterprises*
12.	以内	yǐnèi	*n.*	within
13.	肯定	kěndìng	*adv.*	certainly
14.	年轻	niánqīng	*adj.*	young
15.	比较	bǐjiào	*adv.*	relatively
16.	得	de	*part.*	*used after a verb or an adjective to introduce a complement of result or degree*

课文二 *Text 2*

17.	后边	hòubian	*n.*	following
18.	能够	nénggòu	*aux.*	can, to be able to
19.	紧张	jǐnzhāng	*adj.*	nervous

课文三 *Text 3*

20.	向	xiàng	*prep.*	towards, to
21.	变化	biànhuà	*n./v.*	change; to change
22.	环境	huánjìng	*n.*	environment
23.	农村	nóngcūn	*n.*	rural area, countryside

二、跟读短语或句子 ***Read the following phrases or sentences after the recording.***

1. 城市交通
2. 和城市交通有关系
3. 他的调查和城市交通有关系。
4. 调查结果
5. 这是我的调查结果。
6. 大多数人没有车。
7. 现在，大多数人没有车。

8. 两年以内
9. 他打算两年以内买车。
10. 肯定不高兴
11. 他肯定不高兴。
12. 你听得懂吗？
13. 他们说汉语，你听得懂吗？
14. 他说得比较快。

三、听录音，选择正确的问句 ***Listen and choose the correct interrogative sentence.***

1. A. 你调查的有老年人吗？
   B. 你调查的是什么年龄的人？

2. A. 你在哪儿做的调查？
   B. 你在超市门口一共调查了多少个人？

3. A. 年轻人也很喜欢你的调查吗？
   B. 你调查的人里边，怎么年轻人那么多呀？

4. A. 你的孩子每天玩儿的时间有多长？
   B. 你的孩子每天几点起床？

5. A. 你的调查是什么内容？
   B. 孩子的事情需要调查吗？

6. A. 他们汉语说得快吗？
   B. 他们说汉语，你听得懂吗？

29-2-4 四、根据课文一做下面的练习 *Do the following exercises according to Text 1.*

（一）根据课文内容填表 *Fill in the table according to the text.*

洋洋的调查结果			
洋洋一共调查了多少个人？（　　　）人			
洋洋调查了男的：40人		女的:（　　　）人	
他们的年龄：			
20~30岁：32人	30~40岁:（　　　）人	40~50岁：17人	50岁以上:（　　　）人
每天上班的一共多少人？ 63人			
开车上班的:（　　）人	坐车上班的:28人	骑自行车的:（　　）人	走路的:2人
他们来自多少个家庭？（　　　）个			
已经有车的:（　　　）家		最近想买车的:12家	
两年以内想买车的:10家		肯定不买车的:（　　　）家	

（二）快速回答问题 *Give quick responses to the questions.*

1. 洋洋的调查内容和什么有关系？

2. 为什么洋洋调查的大多数是年轻人？

3. 中国人说汉语，洋洋听得懂吗？不懂的时候怎么办？

29-2-5 五、根据课文二做下面的练习 *Do the following exercises according to Text 2.*

（一）根据课文连线 *Do the matching exercise according to the text.*

李美丽的调查	是15个人
李美丽的调查是在	有三个孩子
李美丽一共	和孩子的生活有关系
只有一个孩子的	可是大多数孩子还要上课
有两个孩子的	自己的孩子上大学
还有两个人	超市门口做的
他们都希望	调查了58个人
周末孩子们可以多玩儿一会儿	41人

（二）快速回答问题　*Give quick responses to the questions.*

　　1. 李美丽的调查有哪些问题？

　　2. 孩子每天学习多长时间？

　　3. 玩儿的时间有多长？

　　4. 孩子们周末干什么？

　　5. 中国人说汉语，李美丽听得懂吗？

29-2-6　六、根据课文三做下面的练习　*Do the following exercises according to Text 3.*

（一）选择正确答案　*Choose the correct answer.*

　　1. A. 没有人骑车了　　　　　B. 想买车的人很多
　　2. A. 对环境很不好　　　　　B. 中国的变化很大
　　3. A. 周末不要上课　　　　　B. 做自己想做的事
　　4. A. 农村家庭孩子比较多　　B. 城市家庭孩子比较多

（二）快速回答问题　*Give quick responses to the questions.*

　　1. 为什么同学们觉得中国的孩子每天很辛苦？

　　2. 为什么大家喜欢这样的调查？

七、用自己的话说一说：我经常去的这个地方
　　Use your own words to talk about "The place I often go to".

30

他们去过好多地方
They Have Been to a Lot of Places

第一部分　语音
Part One　Pronunciation

30-1-1 一、仔细听，选择你听到的词语 *Listen carefully and choose the expressions you hear.*

zhān qián gù hòu / zhēnguì xīyǒu   shān qián shān hòu / cáng wū nà gòu

rénxíng héngdào / rénrén xūyào   lìmǎ jiù dào / Lú Shān miànmào

huālihúshào / luànqībāzāo   fúpí liáocǎo / hào yì wù láo

chūn nuǎn huā kāi / cūn lǐ cūn wài   xǐshì chuánlái / xìnshǒu nuòyán

gè zhí jǐjiàn / gè chí jǐjiàn   qǐng tí yìjiàn / jūnzǐ yì yán

yí piàn miànbāo / yí bàn miànbāo   qī kuài miànbāo / jǐ ge miànbāo

yì zhāng jīpiào / yíhuìr jiù dào   yì běn jiàzhào / yì běn zhízhào

jiǎng yìqì / jìnshìyǎn / qiánshuǐyuán   nào yìjiàn / lǎo jiànmiàn

30-1-2 二、听写拼音 *Write down the pinyin you hear.*

_____　_____　_____　_____

_____　_____　_____　_____

_____　_____　_____　_____

第二部分　课文
Part Two　Texts

30-2-1 一、跟读生词 *Read the following words after the recording.*

课文一 *Text 1*

1. 老年　　lǎonián　　*n.*　　old age

2. 情况　　qíngkuàng　　*n.*　　situation

153

3.	老人	lǎorén	*n.*	old people
4.	留	liú	*v.*	to leave, to leave behind
5.	旅行	lǚxíng	*v.*	to travel
6.	外国	wàiguó	*n.*	foreign country
7.	过	guo	*part.*	used after a verb or an adjective to indicate a past action or state
8.	几	jǐ	*num.*	a few, several
9.	计划	jìhuà	*v./n.*	to plan; plan
10.	完成	wánchéng	*v.*	to complete, to fulfil
11.	博客	bókè	*n.*	blog
12.	思想	sīxiǎng	*n.*	thought
13.	眼睛	yǎnjing	*n.*	eye

课文二 Text 2

14.	想法	xiǎngfǎ	*n.*	idea, opinion
15.	关心	guānxīn	*v.*	to be concerned with, to care for
16.	好像	hǎoxiàng	*v.*	to seem, to be like
17.	长	zhǎng	*v.*	to grow
18.	离开	líkāi	*v.*	to leave, to depart from
19.	安慰	ānwèi	*adj./v.*	comforted; to comfort

课文三 Text 3

20.	兴趣	xìngqù	*n.*	interest
21.	天	tiān	*n.*	weather
22.	可	kě	*conj.*	but

30-2-2 **二、跟读短语或句子** *Read the following phrases or sentences after the recording.*

1. 你去过哪儿？
2. 我去过很多地方。
3. 见过他
4. 我没见过他。
5. 当过老师
6. 他当过十年老师。
7. 上过网

8. 他没上过网。
9. 写博客
10. 我写过几次博客。
11. 完成计划
12. 我的计划已经完成了。
13. 了解情况
14. 他不了解这儿的情况。

30-2-3 **三、听录音，选择正确的问句** *Listen and choose the correct interrogative sentence.*

1. A. 你了解他们的生活吗？
   B. 像他这样生活好吗？

2. A. 你的英语好吗？
   B. 你想过以后在中国当老师，教英语吗？

3. A. 博客是什么？
   B. 他上过网吗？

4. A. 他的爱好是什么？
   B. 他照片拍得好吗？

5. A. 你们每天有事干吗？
   B. 他们经常干什么？

6. A. 你为什么要做社会调查？
   B. 做调查容易吗？

30-2-4 **四、根据课文一做下面的练习** *Do the following exercises according to Text 1.*

（一）判断正误 *Decide if the following statements are true or false.*

1. 山田佑的调查和旅游有关系。　　　　　　　　　（　　　）
2. 他以前听说老年人的钱都留给孩子，自己不花。　（　　　）
3. 他看到，有的老年人经常出去旅行。　　　　　　（　　　）
4. 他看到老年人生活都很辛苦。　　　　　　　　　（　　　）
5. 他看到 70 岁的老年人都有旅行计划。　　　　　（　　　）
6. 老年人每年 10 月都去旅行。　　　　　　　　　（　　　）
7. 他们看到，中国的老年人爱好很多，生活丰富。（　　　）
8. 他们觉得应该用自己的眼睛好好儿了解中国。　（　　　）

（二）边听录音边填空，然后朗读 *Listen to the recording, fill in the blanks and then read aloud.*

1. 我以前听说，中国的老人有钱也不花，都（　　　　　）孩子。
2. 最近我（　　　　　）不是这样。
3. 我了解的（　　　　　）老人，他们经常去旅行，中国、（　　　　　），去过好多地方。

4. 他们觉得自己工作了（　　　　　）十年，很辛苦，老了，应该好好儿玩儿玩儿了。

5. 有几位 70 多岁的老人，他们（　　　　　）每年旅行三次，今年的计划 10 月就（　　　　　）了。

30-2-5 **五、根据课文二做下面的练习** *Do the following exercises according to Text 2.*

（一）判断正误 *Decide if the following statements are true or false.*

1. 李美丽不喜欢老师这个工作。　　　　　　　　　（　　　）
2. 李美丽没想过在中国当老师。　　　　　　　　　（　　　）
3. 李美丽觉得当中国的老师不容易。　　　　　　　（　　　）
4. 李美丽的一些想法和中国人不一样。　　　　　　（　　　）
5. 中国老师太关心学生，李美丽觉得心里不舒服。　（　　　）
6. 李美丽觉得中国老师把学生当小孩儿。　　　　　（　　　）
7. 洋洋觉得老师这么关心也不错。　　　　　　　　（　　　）

（二）边听录音边填空，然后朗读 *Listen to the recording, fill in the blanks and then read aloud.*

1. 你（　　　　　）以后在中国当老师，教英语吗？
2. 我觉得我的有些（　　　　　）和中国人不太一样。
3. （　　　　　）我们还是很小很小的孩子，还没（　　　　　）。
4. （　　　　　）家，有老师这么关心，还是挺（　　　　　）的。

30-2-6 **六、根据课文三做下面的练习** *Do the following exercises according to Text 3.*

（一）选择正确答案 *Choose the correct answer.*

1. A. 中国的老年人没有变化　　　B. 看到的和听说的中国不一样
2. A. 生活特别丰富　　　　　　　B. 对孩子特别好
3. A. 老师把她当大人　　　　　　B. 自己快点儿长大

（二）快速回答问题 *Give quick responses to the questions.*

1. 关于中国的老年人，山田佑听说的情况是什么样的？

2. 山田佑看到的情况是什么样的？

3. 李美丽不喜欢老师做什么？

七、用自己的话说一说：爷爷的书桌
Use your own words to talk about "My grandpa's desk".

生词总表
Vocabulary

城市	chéngshì	*n.*	29		地铁	dìtiě	*n.*	11
吃	chī	*v.*	9		地图	dìtú	*n.*	13
出去	chūqu	*v.*	20		第	dì	*pref.*	17
出租(车)	chūzū (chē)	*n.*	14		点(钟)	diǎn (zhōng)	*m.*	9
穿	chuān	*v.*	14		点儿	diǎnr	*m.*	14
窗户	chuānghu	*n.*	20		点心	diǎnxin	*n.*	22
词	cí	*n.*	25		电	diàn	*n.*	25
词典	cídiǎn	*n.*	4		电话	diànhuà	*n.*	13
次	cì	*m.*	17		电脑	diànnǎo	*n.*	19
从	cóng	*prep.*	11		电视	diànshì	*n.*	15
从……到……	cóng……dào……		11		电梯	diàntī	*n.*	24
错	cuò	*adj.*	17		电影	diànyǐng	*n.*	24
D 打车	dǎchē	*v.*	28		调查	diàochá	*n./v.*	27
打电话	dǎ diànhuà		13		定	dìng	*v.*	26
打算	dǎsuan	*v.*	27		丢	diū	*v.*	18
大	dà	*adj.*	11		东边	dōngbian	*n.*	7
大多数	dàduōshù	*n.*	29		东西	dōngxi	*n.*	13
大家	dàjiā	*pron.*	18		冬天	dōngtiān	*n.*	14
大学	dàxué	*n.*	12		懂	dǒng	*v.*	25
带	dài	*v.*	16		都	dōu	*adv.*	5
当	dāng	*v.*	19		都	dōu	*adv.*	23
当然	dāngrán	*adv.*	19		读	dú	*v.*	15
岛	dǎo	*n.*	25		读	dú	*v.*	17
到	dào	*v.*	11		堵	dǔ	*v.*	28
道理	dàolǐ	*n.*	25		堵车	dǔchē	*v.*	28
地	de	*part.*	27		短	duǎn	*adj.*	22
的	de	*part.*	6		短信	duǎnxìn	*n.*	21
……的时候	……de shíhou		13		锻炼	duànliàn	*v.*	21
得	de	*part.*	29		对	duì	*adj.*	8
得	děi	*aux.*	19		对	duì	*prep.*	12
登记	dēngjì	*v.*	21		对不起	duìbuqǐ	*v.*	8
等	děng	*v.*	11		多	duō	*adj.*	10
地	dì	*n.*	25		多	duō	*num.*	18
地方	dìfang	*n.*	7		多	duō	*adv.*	23

多长	duō cháng		19
多大	duō dà		23
多少	duōshao	*pron.*	5
F 发	fā	*v.*	19
发烧	fāshāo	*v.*	23
发现	fāxiàn	*v.*	21
饭	fàn	*n.*	9
饭馆	fànguǎn(r)	*n.*	10
方便	fāngbiàn	*adj.*	13
方法	fāngfǎ	*n.*	16
方面	fāngmiàn	*n.*	28
房间	fángjiān	*n.*	20
房子	fángzi	*n.*	13
放	fàng	*v.*	21
放假	fàngjià	*v.*	26
飞机	fēijī	*n.*	26
(飞)机场	(fēi) jīchǎng	*n.*	26
非常	fēicháng	*adv.*	10
肥	féi	*adj.*	22
分(钟)	fēn (zhōng)	*m.*	9
份	fèn	*m.*	20
丰富	fēngfù	*adj.*	22
风	fēng	*n.*	20
G 该	gāi	*aux.*	16
感冒	gǎnmào	*v./n.*	14
感谢	gǎnxiè	*v.*	21
感兴趣	gǎn xìngqù		12
干	gàn	*v.*	12
刚	gāng	*adv.*	15
高	gāo	*adj.*	28
高兴	gāoxìng	*adj.*	7
告诉	gàosu	*v.*	14
个	gè	*m.*	5
各	gè	*pron.*	24

给	gěi	*prep.*	13
给	gěi	*v.*	16
跟	gēn	*prep.*	18
更	gèng	*adv.*	12
工作	gōngzuò	*v./n.*	12
(公共)汽车	(gōnggòng) qìchē	*n.*	11
公园	gōngyuán	*n.*	21
挂号	guàhào	*v.*	23
挂失	guàshī	*v.*	18
关	guān	*v.*	20
关系	guānxi	*n.*	29
关心	guānxīn	*v.*	30
光盘	guāngpán	*n.*	13
逛	guàng	*v.*	11
贵	guì	*adj.*	6
贵姓	guìxìng	*n.*	3
国	guó	*n.*	2
过	guò	*v.*	19
过	guo	*part.*	30
H 还	hái	*adv.*	9
还是	háishi	*conj.*	12
孩子	háizi	*n.*	15
好	hǎo	*adj.*	1
好	hǎo	*adv.*	27
好吃	hǎochī	*adj.*	6
好好儿	hǎohāor	*adv.*	23
好看	hǎokàn	*adj.*	14
好听	hǎotīng	*adj.*	26
好像	hǎoxiàng	*v.*	30
号	hào	*m.*	8
号(码)	hào (mǎ)	*n.*	11
喝	hē	*v.*	10
合适	héshì	*adj.*	22
和	hé	*conj.*	5

黑板	hēibǎn	*n.*	21	寄	jì	*v.*	16
很	hěn	*adv.*	7	家	jiā	*n.*	10
后边	hòubian	*n.*	7	家	jiā	*m.*	29
后边	hòubian	*n.*	29	家庭	jiātíng	*n.*	29
后来	hòulái	*n.*	21	捡	jiǎn	*v.*	21
后天	hòutiān	*n.*	8	简单	jiǎndān	*adj.*	22
厚	hòu	*adj.*	14	见	jiàn	*v.*	27
呼吸	hūxī	*v.*	25	见面	jiànmiàn	*v.*	20
湖	hú	*n.*	25	讲	jiǎng	*v.*	19
互相	hùxiāng	*adv.*	15	交	jiāo	*v.*	19
护照	hùzhào	*n.*	18	交通	jiāotōng	*n.*	29
花	huā	*n.*	10	教	jiāo	*v.*	15
花	huā	*v.*	14	饺子	jiǎozi	*n.*	17
坏	huài	*v.*	19	叫	jiào	*v.*	3
欢迎	huānyíng	*v.*	15	教室	jiàoshì	*n.*	9
还	huán	*v.*	21	接	jiē	*v.*	26
环保	huánbǎo	*n./adj.*	10	节目	jiémù	*n.*	26
环境	huánjìng	*n.*	29	节（日）	jié (rì)	*n.*	16
换	huàn	*v.*	22	结果	jiéguǒ	*n.*	29
黄	huáng	*adj.*	22	结婚	jiéhūn	*v.*	16
回	huí	*v.*	13	介绍	jièshào	*v.*	12
回	huí	*m.*	26	斤	jīn	*m.*	6
回答	huídá	*v.*	12	今天	jīntiān	*n.*	8
会	huì	*aux.*	17	紧张	jǐnzhāng	*adj.*	29
会	huì	*v.*	21	进步	jìnbù	*v.*	17
会儿	huìr	*m.*	20	进来	jìnlai	*v.*	15
或者	huòzhě	*conj.*	22	近	jìn	*adj.*	10
J 鸡蛋	jīdàn	*n.*	14	京剧	jīngjù	*n.*	26
极（了）	jí (le)	*adv.*	21	经常	jīngcháng	*adv.*	9
几	jǐ	*num.*	5	经济	jīngjì	*n.*	28
几	jǐ	*num.*	30	酒	jiǔ	*n.*	16
挤	jǐ	*v.*	27	就	jiù	*adv.*	7
计划	jìhuà	*v./n.*	30	举	jǔ	*v.*	28
记	jì	*v.*	11	句	jù	*m.*	27

聚会	jùhuì	v.	17
决定	juédìng	v.	26
觉得	juéde	v.	10
K 咖啡	kāfēi	n.	4
卡	kǎ	n.	18
开	kāi	v.	15
开	kāi	v.	17
开	kāi	v.	20
开	kāi	v.	27
开车	kāichē	v.	27
开始	kāishǐ	v.	15
开学	kāixué		23
开业	kāiyè	v.	24
看	kàn	v.	7
看病	kànbìng	v.	14
看见	kànjiàn	v.	19
考试	kǎoshì	v.	23
咳嗽	késou	v.	23
可	kě	adv.	26
可	kě	conj.	30
可能	kěnéng	adv.	20
可是	kěshì	conj.	12
可以	kěyǐ	aux.	13
刻	kè	m.	9
客气	kèqi	adj.	28
客厅	kètīng	n.	22
课	kè	n.	8
课本	kèběn	n.	28
肯定	kěndìng	adv.	29
裤子	kùzi	n.	9
块	kuài	m.	6
快	kuài	adj.	11
快	kuài	adv.	19
快餐	kuàicān	n.	20

快餐店	kuàicān diàn		20
快……了	kuài……le		26
困	kùn	adj.	26
L 拉	lā	v.	28
来	lái	v.	8
来自	láizì	v.	29
蓝	lán	adj.	22
劳驾	láojià	v.	19
老	lǎo	adj.	22
老年	lǎonián	n.	30
老人	lǎorén	n.	30
老师	lǎoshī	n.	2
了	le	part.	13
累	lèi	adj.	10
冷	lěng	adj.	14
离	lí	v.	13
离开	líkāi	v.	30
梨	lí	n.	6
礼物	lǐwù	n.	16
里	lǐ	n.	20
里边	lǐbian	n.	7
俩	liǎ		21
联系	liánxì	n./v.	25
练	liàn	v.	26
两	liǎng	num.	5
聊	liáo	v.	11
聊天儿	liáotiānr	v.	11
了解	liǎojiě	v.	27
另外	lìngwài	conj.	21
留	liú	v.	30
留学生	liúxuéshēng	n.	5
楼	lóu	n.	7
路上	lùshang	n.	27
旅馆	lǚguǎn	n.	28

旅行	lǚxíng	*v.*	30
旅游	lǚyóu	*v.*	12
乱	luàn	*adj.*	27
M 妈妈	māma	*n.*	8
麻烦	máfan	*adj.*	16
麻烦	máfan	*v.*	28
马上	mǎshàng	*adv.*	18
吗	ma	*part.*	4
买	mǎi	*v.*	6
卖	mài	*v.*	20
慢	màn	*adj.*	18
忙	máng	*adj.*	11
猫	māo	*n.*	22
毛	máo	*m.*	6
毛衣	máoyī	*n.*	14
没(有)	méi (yǒu)	*v.*	8
没(有)	méi (yǒu)	*adv.*	13
没错	méi cuò		25
没关系	méi guānxi		16
没问题	méi wèntí		20
每	měi	*pron.*	9
每天	měi tiān		9
美	měi	*adj.*	24
门口	ménkǒu	*n.*	27
们	men	*suf.*	1
米饭	mǐfàn	*n.*	20
秘密	mìmì	*n.*	25
密码	mìmǎ	*n.*	18
面包	miànbāo	*n.*	4
面条	miàntiáo	*n.*	20
名字	míngzi	*n.*	3
明白	míngbai	*v./adj.*	25
明年	míngnián	*n.*	12
明天	míngtiān	*n.*	8

N 拿	ná	*v.*	16
哪	nǎ	*pron.*	2
哪儿	nǎr	*pron.*	7
那	nà (nèi)	*pron.*	4
那边	nàbian	*pron.*	20
那么	nàme	*pron.*	19
那儿	nàr	*pron.*	7
男	nán	*adj.*	5
南边	nánbian	*n.*	7
难	nán	*adj.*	25
呢	ne	*part.*	3
内容	nèiróng	*n.*	24
能	néng	*aux.*	15
能够	nénggòu	*aux.*	29
你	nǐ	*pron.*	1
你好/您好	nǐ hǎo / nín hǎo		1
年级	niánjí	*n.*	12
年龄	niánlíng	*n.*	29
年轻	niánqīng	*adj.*	29
您	nín	*pron.*	1
牛奶	niúnǎi	*n.*	14
农村	nóngcūn	*n.*	29
努力	nǔlì	*v./adj.*	17
女	nǚ	*adj.*	5
暖和	nuǎnhuo	*adj.*	23
O 哦	ò	*int.*	8
P 怕	pà	*v.*	23
拍	pāi	*v.*	24
排(队)	pái (duì)	*v.*	24
旁边	pángbiān	*n.*	7
跑	pǎo	*v.*	28
陪	péi	*v.*	22
朋友	péngyou	*n.*	5
便宜	piányi	*adj.*	6

片	piànr	*m.*	23
票	piào	*n.*	24
漂亮	piàoliang	*adj.*	10
苹果	píngguǒ	*n.*	4
Q 骑	qí	*v.*	12
起	qǐ	*v.*	28
起床	qǐchuáng	*v.*	9
汽车	qìchē	*n.*	4
汽车站	qìchē zhàn		11
前边	qiánbian	*n.*	7
钱	qián	*n.*	6
浅	qiǎn	*adj.*	22
亲戚	qīnqi	*n.*	16
亲切	qīnqiè	*adj.*	16
清（楚）	qīng (chu)	*adj.*	15
情况	qíngkuàng	*n.*	30
请	qǐng	*v.*	3
请	qǐng	*v.*	17
请问	qǐngwèn	*v.*	3
秋天	qiūtiān	*n.*	23
取	qǔ	*v.*	18
去	qù	*v.*	7
全	quán	*adj.*	23
全身	quánshēn	*n.*	23
R 让	ràng	*v.*	24
热	rè	*adj.*	20
热闹	rènao	*adj.*	17
人	rén	*n.*	2
人工	réngōng	*adj.*	25
认识	rènshi	*v.*	7
容易	róngyì	*adj.*	24
如果	rúguǒ	*conj.*	24
S 伞	sǎn	*n.*	21
嗓子	sǎngzi	*n.*	23

商场	shāngchǎng	*n.*	7
上	shàng	*n.*	13
上	shàng	*v.*	22
上	shàng	*v.*	24
上班	shàngbān	*v.*	27
上课	shàngkè	*v.*	9
上网	shàngwǎng	*v.*	9
上午	shàngwǔ	*n.*	8
上学	shàngxué	*v.*	12
上	shang	*n.*	18
烧	shāo	*v.*	23
稍	shāo	*adv.*	18
少	shǎo	*adj.*	10
社会	shèhuì	*n.*	27
谁	shéi (shuí)	*pron.*	4
身	shēn	*n.*	23
身体	shēntǐ	*n.*	12
深	shēn	*adj.*	22
什么	shénme	*pron.*	3
生活	shēnghuó	*n.*	27
生日	shēngrì	*n.*	21
声（音）	shēng (yīn)	*n.*	15
时候	shíhou	*n.*	13
时间	shíjiān	*n.*	8
事	shì	*n.*	10
试	shì	*v.*	19
是	shì	*v.*	2
收	shōu	*v.*	19
手机	shǒujī	*n.*	11
瘦	shòu	*adj.*	22
书	shū	*n.*	4
书店	shūdiàn	*n.*	8
舒服	shūfu	*adj.*	14
树	shù	*n.*	10

水果	shuǐguǒ	*n.*	16
水平	shuǐpíng	*n.*	28
睡觉	shuìjiào	*v.*	20
说	shuō	*v.*	11
说话	shuōhuà	*v.*	25
司机	sījī	*n.*	14
思想	sīxiǎng	*n.*	30
送	sòng	*v.*	16
送	sòng	*v.*	21
宿舍	sùshè	*n.*	19
岁	suì	*m.*	15
所以	suǒyǐ	*conj.*	14

T
他	tā	*pron.*	2
她	tā	*pron.*	2
太	tài	*adv.*	10
太极拳	tàijíquán	*n.*	26
太……了	tài……le		10
汤	tāng	*n.*	17
躺	tǎng	*v.*	25
趟	tàng	*m.*	14
讨论	tǎolùn	*v.*	10
特别	tèbié	*adv.*	6
特点	tèdiǎn	*n.*	24
疼	téng	*adj.*	23
题目	tímù	*n.*	27
体育馆	tǐyùguǎn	*n.*	7
天	tiān	*n.*	9
天	tiān	*n.*	30
天气	tiānqì	*n.*	22
甜	tián	*adj.*	6
填	tián	*v.*	18
跳舞	tiàowǔ	*v.*	21
听	tīng	*v.*	15
听说	tīngshuō	*v.*	14

挺	tǐng	*adv.*	20
通知	tōngzhī	*v.*	21
同屋	tóngwū	*n.*	20
同学	tóngxué	*n.*	4
头	tóu	*n.*	23
头发	tóufa	*n.*	28
头疼	tóuténg	*adj.*	23
图书馆	túshūguǎn	*n.*	7

W
外边	wàibian	*n.*	7
外国	wàiguó	*n.*	30
外卖	wàimài	*n.*	20
完	wán	*v.*	19
完成	wánchéng	*v.*	30
玩儿	wánr	*v.*	24
晚	wǎn	*adj.*	28
晚饭（晚餐）	wǎnfàn (wǎncān)	*n.*	9
晚会	wǎnhuì	*n.*	17
晚上	wǎnshang	*n.*	9
万	wàn	*num.*	18
网	wǎng	*n.*	18
网上	wǎng shang		18
忘	wàng	*v.*	18
危险	wēixiǎn	*adj.*	25
为什么	wèi shénme		9
位	wèi	*m.*	17
问	wèn	*v.*	3
问题	wèntí	*n.*	10
我	wǒ	*pron.*	2
午饭（午餐）	wǔfàn (wǔcān)	*n.*	9

X
西边	xībian	*n.*	7
西餐	xīcān	*n.*	22
西瓜	xīguā	*n.*	6
西式	xīshì	*adj.*	22
希望	xīwàng	*v.*	17

习惯	xíguàn	v./n.	17
喜欢	xǐhuan	v.	11
下	xià	n.	13
下	xià	v.	24
下边	xiàbian	n.	24
下课	xiàkè	v.	8
下午	xiàwǔ	n.	8
下雪	xià xuě		23
下雨	xià yǔ		20
先	xiān	adv.	12
先生	xiānsheng	n.	15
现在	xiànzài	n.	9
相信	xiāngxìn	v.	28
想	xiǎng	v.	8
想法	xiǎngfǎ	n.	30
向	xiàng	prep.	29
像	xiàng	v.	25
小	xiǎo	adj.	15
小区	xiǎoqū	n.	10
小时	xiǎoshí	n.	13
些	xiē	m.	18
写	xiě	v.	17
辛苦	xīnkǔ	adj.	28
新	xīn	adj.	11
星期	xīngqī	n.	8
星期二	xīngqī'èr	n.	8
星期六	xīngqīliù	n.	8
星期三	xīngqīsān	n.	8
星期四	xīngqīsì	n.	8
星期天（星期日）	xīngqītiān (xīngqīrì)	n.	8
星期五	xīngqīwǔ	n.	8
星期一	xīngqīyī	n.	8
行	xíng	v.	8

行李（箱）	xíngli (xiāng)	n.	28
兴趣	xìngqù	n.	30
姓	xìng	v.	3
休息	xiūxi	v.	23
修	xiū	v.	19
需要	xūyào	v.	12
选	xuǎn	v.	27
学	xué	v.	15
学生	xuésheng	n.	7
学习	xuéxí	v.	9
学校	xuéxiào	n.	13
Y 呀	ya	int.	20
研究生	yánjiūshēng	n.	15
颜色	yánsè	n.	22
眼睛	yǎnjing	n.	30
药	yào	n.	14
要	yào	aux.	9
要	yào	v.	13
要是	yàoshi	conj.	26
钥匙	yàoshi	n.	24
也	yě	adv.	4
也许	yěxǔ	adv.	20
一般	yìbān	adj.	16
一边……一边……	yìbiān……yìbiān……		24
一点儿	yì diǎnr		14
一定	yídìng	adv.	6
一共	yígòng	adv.	6
一会儿	yí huìr		20
一……就……	yī……jiù……		14
一块儿	yíkuàir	adv.	23
一起	yìqǐ	adv.	7
一下	yíxià	m.	10
一些	yì xiē		18
一样	yíyàng	adj.	16

一直	yìzhí	*adv.*	25		在	zài	*v.*	7
衣服	yīfu	*n.*	14		在	zài	*prep.*	11
医生	yīshēng	*n.*	12		咱们	zánmen	*pron.*	17
医院	yīyuàn	*n.*	19		脏	zāng	*adj.*	22
已经	yǐjīng	*adv.*	13		糟糕	zāogāo	*adj.*	24
以后	yǐhòu	*n.*	8		早	zǎo	*adj.*	24
以内	yǐnèi	*n.*	29		早饭（早餐）	zǎofàn (zǎocān)	*n.*	9
以前	yǐqián	*n.*	17		早上	zǎoshang	*n.*	2
以上	yǐshàng	*n.*	29		怎么	zěnme	*pron.*	14
以为	yǐwéi	*v.*	19		怎么样	zěnmeyàng	*pron.*	10
椅子	yǐzi	*n.*	21		展览	zhǎnlǎn	*n./v.*	24
意见	yìjiàn	*n.*	18		站	zhàn	*n.*	11
意思	yìsi	*n.*	25		长	zhǎng	*v.*	30
因为	yīnwèi	*conj.*	12		着急	zháojí	*adj.*	18
音乐	yīnyuè	*n.*	16		找	zhǎo	*v.*	6
音乐会	yīnyuèhuì	*n.*	27		找	zhǎo	*v.*	7
银行	yínháng	*n.*	7		照	zhào	*v.*	24
应该	yīnggāi	*aux.*	16		照顾	zhàogu	*v.*	24
用	yòng	*v.*	16		照片	zhàopiàn	*n.*	21
邮件	yóujiàn	*n.*	19		（照）相机	(zhào) xiàngjī	*n.*	21
邮局	yóujú	*n.*	16		这	zhè (zhèi)	*pron.*	4
有	yǒu	*v.*	5		这么	zhème	*pron.*	14
有点儿	yǒudiǎnr	*adv.*	23		这儿	zhèr	*pron.*	7
有时候	yǒu shíhou		9		这样	zhèyàng	*pron.*	16
有意思	yǒu yìsi		19		着	zhe	*part.*	27
又	yòu	*adv.*	13		真	zhēn	*adv.*	6
羽绒服	yǔróngfú	*n.*	14		正好	zhènghǎo	*adv.*	24
雨	yǔ	*n.*	20		正（在）	zhèng (zài)	*adv.*	27
远	yuǎn	*adj.*	7		知道	zhīdao	*v.*	16
愿意	yuànyì	*aux.*	19		只	zhǐ	*adv.*	11
约	yuē	*v.*	27		只好	zhǐhǎo	*adv.*	19
月	yuè	*n.*	8		中	zhōng	*n.*	29
Z 杂志	zázhì	*n.*	28		中餐	zhōngcān	*n.*	22
再	zài	*adv.*	11		中间	zhōngjiān	*n.*	25

中式	zhōngshì	*adj.*	20	字	zì	*n.*	25
中午	zhōngwǔ	*n.*	18	走	zǒu	*v.*	10
种	zhǒng	*m.*	6	走路	zǒulù	*v.*	13
重要	zhòngyào	*adj.*	16	租	zū	*v.*	13
周	zhōu	*n.*	27	最	zuì	*adv.*	12
周末	zhōumò	*n.*	27	最好	zuìhǎo	*adv.*	26
主要	zhǔyào	*adj.*	26	最后	zuìhòu	*n.*	26
住	zhù	*v.*	15	最近	zuìjìn	*n.*	17
注意	zhùyì	*v.*	15	昨天	zuótiān	*n.*	13
祝贺	zhùhè	*v.*	26	左右	zuǒyòu	*n.*	23
装	zhuāng	*v.*	28	作业	zuòyè	*n.*	27
准备	zhǔnbèi	*v.*	12	坐	zuò	*v.*	11
桌子	zhuōzi	*n.*	21	坐	zuò	*v.*	15
紫	zǐ	*adj.*	22	做	zuò	*v.*	12
自己	zìjǐ	*pron.*	12	做客	zuòkè	*v.*	13
自行车	zìxíngchē	*n.*	12				

专　名
Proper Nouns

C	长城	Chángchéng	24	**T**	泰国	Tàiguó	23
D	德国	Déguó	5	**W**	外国语大学	Wàiguóyǔ Dàxué	20
H	韩国	Hánguó	9		王英	Wáng Yīng	7
	汉语	Hànyǔ	4	**Y**	洋洋	Yángyang	23
J	杰西	Jiéxī	28		英国	Yīngguó	2
K	肯德基	Kěndéjī	20		英语	Yīngyǔ	15
L	李美丽	Lǐ Měilì	3		越南	Yuènán	5
	丽华快餐店	Lìhuá Kuàicān Diàn	20	**Z**	张	Zhāng	3
	林小弟	Lín Xiǎodì	9		赵一民	Zhào Yīmín	15
M	麦当劳	Màidāngláo	20		赵月	Zhào Yuè	15
	美国	Měiguó	2		中国	Zhōngguó	2
R	日本	Rìběn	3		中国银行	Zhōngguó Yínháng	7
	日语	Rìyǔ	15		周一白	Zhōu Yībái	21
S	山田佑	Shāntián Yòu	3				

《发展汉语》（第二版）
基本使用信息

教　材	适用水平	每册课数	每课建议课时	每册建议总课时
初级综合（I）	零起点及初学阶段	30课	5课时	150-160
初级综合（II）		25课	6课时	150-160
中级综合（I）	已掌握2000-2500词汇量	15课	6课时	90-100
中级综合（II）		15课	6课时	90-100
高级综合（I）	已掌握3500-4000词汇量	15课	6课时	90-100
高级综合（II）		15课	6课时	90-100
初级口语（I）	零起点及初学阶段	23课	4课时	92-100
初级口语（II）		23课	4课时	92-100
中级口语（I）	已掌握2000-2500词汇量	15课	6课时	90-100
中级口语（II）		15课	6课时	90-100
高级口语（I）	已掌握3500-4000词汇量	15课	4课时	60-70
高级口语（II）		15课	4课时	60-70
初级听力（I）	零起点及初学阶段	30课	2课时	60-70
初级听力（II）		30课	2课时	60-70
中级听力（I）	已掌握2000-2500词汇量	30课	2课时	60-70
中级听力（II）		30课	2课时	60-70
高级听力（I）	已掌握3500-4000词汇量	30课	2课时	60-70
高级听力（II）		30课	2课时	60-70
初级读写（I）	零起点及初学阶段	12课	2课时	30-40
初级读写（II）		12课	2课时	30-40
中级阅读（I）	已掌握2000-2500词汇量	15课	2课时	30-40
中级阅读（II）		15课	2课时	30-40
高级阅读（I）	已掌握3500-4000词汇量	15课	2课时	30-40
高级阅读（II）		15课	2课时	30-40
中级写作（I）	已掌握2000-2500词汇量	12课	2课时	30-40
中级写作（II）		12课	2课时	30-40
高级写作（I）	已掌握3500-4000词汇量	12课	2课时	30-40
高级写作（II）		12课	2课时	30-40

发展汉语 Developing Chinese 第二版 2nd Edition

综 合

○ 初级综合（Ⅰ）含1MP3		ISBN 978-7-5619-3076-2	79.00元
○ 初级综合（Ⅱ）含1MP3		ISBN 978-7-5619-3077-9	75.00元
○ 中级综合（Ⅰ）含1MP3		ISBN 978-7-5619-3089-2	56.00元
○ 中级综合（Ⅱ）含1MP3		ISBN 978-7-5619-3239-1	60.00元
○ 高级综合（Ⅰ）含1MP3		ISBN 978-7-5619-3133-2	55.00元
○ 高级综合（Ⅱ）含1MP3		ISBN 978-7-5619-3251-3	60.00元

口 语

○ 初级口语（Ⅰ）含1MP3	ISBN 978-7-5619-3247-6	65.00元
○ 初级口语（Ⅱ）含1MP3	ISBN 978-7-5619-3298-8	74.00元
○ 中级口语（Ⅰ）含1MP3	ISBN 978-7-5619-3068-7	56.00元
○ 中级口语（Ⅱ）含1MP3	ISBN 978-7-5619-3069-4	52.00元
○ 高级口语（Ⅰ）含1MP3	ISBN 978-7-5619-3147-9	58.00元
○ 高级口语（Ⅱ）含1MP3	ISBN 978-7-5619-3071-7	56.00元

听 力

○ 初级听力（Ⅰ）含1MP3	ISBN 978-7-5619-3063-2	79.00元
○ 初级听力（Ⅱ）含1MP3	ISBN 978-7-5619-3014-4	68.00元
○ 中级听力（Ⅰ）含1MP3	ISBN 978-7-5619-3064-9	62.00元
○ 中级听力（Ⅱ）含1MP3	ISBN 978-7-5619-2577-5	70.00元
○ 高级听力（Ⅰ）含1MP3	ISBN 978-7-5619-3070-0	68.00元
○ 高级听力（Ⅱ）含1MP3	ISBN 978-7-5619-3079-3	70.00元

"练习与活动" + "文本与答案"

读 写

○ 初级读写（Ⅰ）
  ISBN 978-7-5619-3360-2　27.00 元
○ 初级读写（Ⅱ）
  ISBN 978-7-5619-3461-6　27.00 元

阅 读

○ 中级阅读（Ⅰ）
  ISBN 978-7-5619-3123-3　29.00 元
○ 中级阅读（Ⅱ）
  ISBN 978-7-5619-3197-4　29.00 元
○ 高级阅读（Ⅰ）
  ISBN 978-7-5619-3080-9　32.00 元
○ 高级阅读（Ⅱ）
  ISBN 978-7-5619-3084-7　35.00 元

写 作

○ 中级写作（Ⅰ）
  ISBN 978-7-5619-3286-5　35.00 元
○ 中级写作（Ⅱ）
  ISBN 978-7-5619-3287-2　39.00 元
○ 高级写作（Ⅰ）
  ISBN 978-7-5619-3361-9　29.00 元
○ 高级写作（Ⅱ）
  ISBN 978-7-5619-3269-8　29.00 元